D0298143
return on or before the last

ELVIO ROMERO
MIGUEL HERNÁNDEZ,
DESTINO Y POESÍA
CONTEMPORÁNEA
EDITORIAL LOSADA, S. A.
BUENOS AIRES

# MIGUEL HERNÁNDEZ

## DESTINO Y POESÍA

ELVIO ROMERO

# MIGUEL HERNÁNDEZ

## DESTINO y POESÍA



EDITORIAL LOSADA, S. A.
BUENOS AIRES

Edición expresamente autorizada para la
*BIBLIOTECA CONTEMPORANEA*

Queda hecho el depósito que marca la ley 11.723
*Marcas y características gráficas registradas en la Oficina de Patentes y Marcas de la Nación*

*Printed in Argentine — Impreso en la Argentina*
Terminóse de imprimir el 17 de octubre de 1958

Talleres Gráficos "Fanetti" - México 1171, Buenos Aires

*A Pablo Neruda*

*A Rafael Alberti*

*A Raúl González Tuñón*

*Mi vida es una herida de juventud dichosa.*

M. HERNÁNDEZ

# INFANCIA

*...y al sol el ojo abrí por vez primera*
*y lo que vi primero era una herida*
*y una desgracia era.*

Nace Miguel Hernández en Orihuela, provincia de Alicante, el 30 de octubre de 1910, en las mismas tierras que habían regocijado con gotas delirantes la prosa sublunar y perfecta de Gabriel Miró, el recatado.

Según cuenta una vagarosa leyenda española, Dios moldeó el sol y lo dejó rodar hacia Toledo, tal la llaga quemante de la temperatura caldeada. Algo de sus chispas debieron quedar en las colinas del Levante. Las batidas del viento apenas aminoran las ráfagas de sus castigos. Bajo su vigilancia se han despeinado los montes; los pedregullos se han escotado de un color acero y se legitiman feraces viñedos, propiedades señoriales, fértiles cobertizos y llanuras.

El aire del Levante español rebasa con su color la cuna humilde marcando al niño con su magnetismo, dándole una propensión de amor hacia el paisaje, hacia su cegadora fosforescencia.

La ciudad descansa en el letargo de años demasiado parecidos; el humo de las industrias que posee —la de la seda, la del cáñamo, la del vidrio, la alfarera— no puede presumir de haber desplazado el olor de incienso de las iglesias. El clero aquí ha echado raíces perdurables y el rumbo de la vida conduce a las sacristías. Hacia allá lo llevan, cuatro días después de su nacimiento. El agua bautismal que le perla la frente tardará en disiparse, tardará años, hasta cuando le alcance la hora de reinventarse todo. Sus primeros pasos lo acercan hasta los muros antiguos de la catedral y de otras iglesias y sus ojos, que vienen siempre de ver la sombría realidad que hierve alrededor (la de los surcos ubérrimos y campos de pastoreo que no dan al hombre sino miseria, preparándole la caducidad prematura), sus ojos, como lunas zafadas de un cielo encapotado, se abren asombrados cuando le hacen guiños el esplendor de los turíbulos, incrustados de preciosidades, los relicarios afiligranados, toda la pompa litúrgica que le da una hora adventicia de fe en largo pleito con el tembladeral de su inquietud libérrima.

¡Cuánto se ha hablado ya del contraste entre el subyugante paisaje y la existencia oscura de los que lo viven, contraste que ensancha el tamaño de la desdicha en un rutilante escenario; y cuánto también del lujo feérico de la casa de Dios con la condición de penuria de los devotos, en carne viva el alma por el peso de las preguntas, la piel casi desnuda, mendiga de más abrigo, completa la indigencia del existir como rica de enorme desconcierto la mirada! ¿Se contrastaron también en su alma de niño el bizqueo mirífico que alucina desde cualquier ángulo de la gran nave, iluminada desde los soportales del umbral soberbio hasta el altar cegador, de vitral a vitral de los costados, con lo que afuera se agarraba a la vida para no morir, hondo el silencio, hondas las bocas de interrogaciones menesterosas? Algo que no podía percibir se le debió doblar en los entresijos de la sangre, pues ya veremos cómo cuando terció por otros senderos no volvió nunca la mirada, soltando un lienzo divisorio entre el hoy que vivía y el ayer que superaba.

Mientras tanto, pagará su tributo al ambiente oriolano.

La iglesia es dueña del poder y de las tierras. Por lo tanto, de las almas. El hijo del pastor Hernández será educado en la acendrada tradición católica de la familia.

Atravesando todos los días la calle de la Cruz, va hasta un colegio de jesuítas —grandes patios como avales de un pedazo de firmamento, corredores anchos con columnas que hombrean el pesado techo donde se encalabrinan las tejas medievales—; allí aprende algo del alfabeto, aunque sólo acabará de alfabetizarse por completo con el impacto de lecturas que él mismo irá escogiendo. Su prodigioso poder de asimilación se manifiesta. Vale la pena consignar, insistiendo en ello, que Miguel siguió por únicos estudios regulares dos años de cursos primarios —¡sólo dos años!— para quedar atónitos ante el eco de enorme sabiduría idiomática que despliega en sus primeros balbuceos líricos. Pero él sobresale. Se sabe las páginas del Antiguo Testamento mejor que nadie. El catecismo es un juego en el que se ufana. Lo conoce hasta en sus comas. Recita como ninguno de sus compañeros y entra así en posesión del hilo augural de su futuro.

Los domingos hace de monaguillo. Probable es que en esas circunstancias el pulso le tronara de sobresalto, pues que todo se encandilaba en él con arranques superlativos.

Con su hermana Encarnación va también, durante la semana, detrás del rebaño de cabras de la hacienda paterna, en pos de su alimento diario. El sol comienza a aceitunarle el rostro y se le queda parado en el corazón para nutrirle con su perpetuo incendio. La educación religiosa prosigue entre misas y procesiones y él se pierde entre el murmullo en sordina de las oraciones coreadas.

Lo que ocurre después nadie lo ve. El monaguillo tiene una disposición pagana hacia la tierra. Sale a preservar el puro azahar, las puras lágrimas de las fuentes, el puro canto de los ruiseñores, la pura fertilidad de las boñigas, todo el desenfreno purísimo de las esencias terrestres. Allí aprende la educación más honda y valedera, la sabiduría de interferir en el temblor profundo, natural, maravilloso.

Los fondos de la casa de los Hernández desembocan al pie de un montículo, en la parte alta de Orihuela. Por allí queda la alberca y la fuente donde, dice, aprendió a nadar, en el agua "que trina de tan fría" y también las palmeras que se disputan "la soledad suprema de los vientos". La pieza que ocupaba Miguel da a ese patio. Desde su habitación, que parecía succionar la claridad de afuera, recogía en su retina días inabarcables y se llenaba del caudal serrano que le enorgullecerá con el tiempo.

Para él todo cobraba un tamaño mayor; en la alternancia entre el aprendizaje religioso y el de descifrador de la naturaleza se le superpusieron las emociones que, a su vez, suscitan la fantasía. Para un ser así, el retiro, el recato de las oraciones cautelosas son apenas un barniz, ya que en la otra ribera del alma, entretanto, se prepara la sacudida viril que osará infringir las normas que los labios prometen. Sin embargo, en él todo era legítimo y entrañable en ese entonces. Todo le caía en el pecho con sonoridades calientes. Cumple con hondura su etapa de misticismo y quiere que hasta la naturaleza se purifique.

No seas, primavera; no te acerques,
quédate en alma, almendro:
sed tan sólo un propósito de verdes,
de ser verdes sin serlo.

Mas, ¡cuidado! De contraluz le llegan avisos turbulentos, corpulencias fornidas que solicitan la quebradura de la malla, circulaciones de júbilo que se amparan bajo el racimo de una naturaleza aficionada al ardor que le acarrea el aire, y él siente el peligro de esos avisos:

Malaganas me ganan, con meneos
y aumentos de pecados;
me corrijo intenciones y deseos
en vano, en vano, en vano.

Como sucede tantas veces, para quien "comienza a soñar" el hogar, por un eterno capricho, no siempre es la fuente mágica abrevadora de la sed amaneciente. En la infancia de Miguel, no lo fué tampoco. El conflicto tendrá acentuaciones ásperas.

Y es que no se es profeta en su tierra... y menos en la familia, ese entrañable círculo que nunca descubre la flor extraña que le brota en medio. Y menos aún si la rige un padre severo, vuelto para adentro, con el trágico temor campesino de que su autoridad sea mellada, preso de antiguas prerrogativas feudales que le transmiten un fuego de potestad irreversible sobre los suyos. Miguel Hernández, padre, es hombre nostalgioso de un pasado apacible, metido en la coraza de viejos hábitos, con un sentido práctico de las cosas próximas, ceñido a los quehaceres inmediatos que proporcionan el sustento diario. De esos hombres que nacen y mueren en un mismo sitio, tal como ocurriera con los ascendientes, fundado y enfundado en costumbres sedentarias. No puede arriesgar un ápice de su magra economía. Exige una aceptación previa de su mando. Es el patriarca de mano segura y férrea, demasiado centrado en sí mismo para condescender con los hijos, exagerando el rigor que le endosó una vida dura y una educación estrecha, cerrando el entendimiento para todo aquello que signifique un nuevo modo de encarar las cosas. La severidad, no atenuada jamás, del pasado defendiendo sus ciudadelas, perseverando en la insensata acumulación de autoridad, tiende un velo negro sobre su carácter, obstruyendo su sensibilidad para el gobierno ecuánime de la casa, para la percepción de las diferencias, para el examen sutil de lo que haya de sorprendente o reprobable en los cachorros.

Un orden establecido así, en la obediencia indiscriminada, entre el aturdimiento tonante de las indicaciones impartidas a punto de voz irritada, o inhibe o incuba una rebeldía que no ceja nunca, por más que el círculo acosador se anille con todas sus consecuencias. Y el niño Miguel se rebelaba. Y el padre severo, que no tenía por qué detenerse y reflexionar sobre futesas, se dispuso a doblegar al irreverente con la fórmula aplastante que en estos casos le convenía.

De las reconvenciones, que no duraron mucho, se pasó a los golpes. El ambiente se fué agriando. El niño —la flor extraña que brotaba— no era irresoluto ni domable; subyugado por quién sabe qué contemplaciones furtivas, libraba una lucha de excepción consigo mismo, ya que se sentía tironeado para afuera, hacia el paisaje, hacia el temblor atmosférico, fuera del hogar, del acatamiento a una disposición de cosas que chocaba con sus sueños de muchacho errátil, desasosegado. La madre, como todas las madres educadas en el dócil trajineo, ser adherido apenas a otro ser más fuerte, dominador, indiscutible (transmitidas como eran las mujeres de entonces —más que concebidas— por sus mayores para los mandatos del hombre), ¡qué actitud podía asumir ante la brecha abierta! Apenas consolar detrás de las puertas, contristada; aconsejar prudencia. Al niño, es claro. Era apenas una sombra que se desliza por las habitaciones, una apoyatura subrepticia para la herida abierta del corazón impúber que nunca acababa de comprender el porqué de la irregular situación. Cortedad y humildad campesinas se conjugaron en su mirada tierna. También ella —Concepción Gilabert— era hija de un hombre rudo, tratante de animales. La prepararon para masticar en silencio las amarguras. En última instancia, a no tomar partido cuando entraba en ejercicio la autoridad del marido.

Los golpes se sucedían. Sobre él —la flor extraña que brotaba— más que sobre los otros hermanos,

Vicente, Encarnación, Elvira, Concha. Así aquel padre, que nada podía contra el material de ensoñaciones del pequeño Miguel, que no podía asir lo que en su interior respiraba, desposeído de calma alguna, golpeaba precisamente la envoltura física que encerraba los pensamientos rebeldes. El insurrecto quedó marcado por las huellas de la torpeza enorme del progenitor inconsciente. Siempre llevará el estigma indeleble; se quejará de los dolores de cabeza con pleno conocimiento de los orígenes de esos dolores. No por eso llegó el encorvamiento; pero la lesión quedó viva y él la sufrirá por el resto de su vida. Ya adolescente y más maduro, se sentirá aquejado por esa molestia y los médicos sabrán, más tarde, cómo sus nervios, su irritabilidad, tenían su procedencia en aquellas tundas recibidas en su infancia. No es casual que, detenido por la guardia civil, años más tarde, Miguel recordará, más que otros, los castigos infligidos a su cabeza. Ni en un único viaje al extranjero, viaje apaciguador por cierto, le abandonará el dolor que es permanente, constante. En sus días de cárcel la cabeza le molesta; en la guerra también. El recuerdo de esa lesión se repite en sus cartas posteriores como una alucinante letanía.

Nadie es profeta... y menos en la familia; menos aún teniendo vocación de poeta, ridículas fantasmagorías, viajes extraños hacia limbos que escapan a la comprensión corriente. Ninguno de los hijos, a criterio del padre, podrá recibir una educación mejor que el de los otros, así demuestre tempranos talentos. ¿Acaso no tiene hermanos que quedarán rezagados? Poeta, ¿qué es eso? Hay que igualar a todos en el trabajo. Así piensa el padre, y así no tolerará diferencias en la casa. Acaba, pues, Miguel como los otros, detrás de las majadas, a orillas de los montes, donde se hará fuerte y se hará hombre. Acabados sus estudios (!), su autodidactismo se exacerba. Librará todavía una prolongada batalla contra el ambiente fondeado por el menester prosaico. Mas ya sus ojos grandes, que amplían la visión del mundo, están confortados con la ilusión segura que le envía su sangre, y la determinación triunfante le viene dictada, como suele venir en estos casos, por las invisibles confidencias que le hacen no sabe bien qué fuerzas y qué misteriosa disposición de alma.

No se amengua ni se agota su avidez en esas horas de caluroso pastoreo. Tostado por el sol, moreno a fuerza de recibirlo a pleno pecho, Miguel Hernández, hijo, va a sobreponerse a todo y a sobresalir, pues que a nadie le es dado segar una energía en ascensión y menos aún si ésta no consiente el avasallamiento.

No sabemos hasta qué punto las circunstancias permearon el tesoro oculto de esta vocación en germen ni lo que pudo conmover sus meandros.

Cualquiera sea la sacudida que haya sufrido su guarida ignota, la contemplación de la naturaleza le llenó de sensaciones que aminoraron el daño. Entre el apogeo sensual del paisaje y los choques recibidos en el círculo estrecho de los suyos, se troqueló su temperamento.

Por los hechos sucedidos, su infancia no tuvo altibajos dramáticos; por lo que repercutió en su sensibilidad sí los tuvo.

Él sintió que no había sido feliz, a pesar de las radiantes compensaciones que apareja una relativa correría al aire libre. Sin duda presintió que el "sino sangriento" se emboscaba en esos días lejanos. Un sentido dramático de la vida crece a su lado, inexorablemente, y le menea el corazón de vez en cuando. La boca se le llena de quejas borrascosas y la tristeza comienza a manejarle el arco sin sosiego.

Si así no fuera, ¿por qué habría de escribir que vino al mundo "bajo el designio de una estrella airada en una turbulenta y mala luna"? ¿Por qué habría de decirlo?

# PRIMEROS TANTEOS

*Son otras las intenciones*
*y son otras las palabras*
*en la frente y en la lengua*
*de la juventud temprana.*

No siempre solemos detenernos a pensar en profundidad sobre lo que conspira contra una vocación amaneciente y en la densidad con que ésta atraviesa la maraña invalidadora. Pensemos en lo que pudo este muchacho, pensemos en lo que significa nacer en un olvidado pueblo de provincias, recibir dos cursos escolares que solamente la irreverencia puede llamar instrucción, quedar preso de la canonjía beata por gravitación ineludible; tropezar con la incomprensión familiar, la más horrible y dolorosa de las incomprensiones; sufrir la potestad de un padre que, si de soslayo le admira, no acudirá siquiera a su entierro para no ceder; ser apenas una hojarasca de otoño detrás de las majadas y no tener más porvenir que eso —¡oh, el porvenir en esos sitios muertos!—, y a pesar de todo levantarse como una llama y seguir contra viento y marea en ese oficio terriblemente improductivo —para los demás— de escucharse a sí mismo, de acostarse sobre sus propios temblores primarios, de extasiarse ante las impasibles estrellas. ¡Y no parar en eso! Seguir la ruta, así sangren las plantas de los pies errantes y parar en el centro de advenimiento de su pueblo bravío. Escapar, en fin, de cuantas alambradas le cerquen y aparecer, sobresaliente y cimero, como un árbol airoso que las borrascas no mueven. Verdaderamente es prodigioso todo eso. El estímulo debe partir del centro de propulsión de su propio fervor. Y además chocar contra convenciones que se establecieron en sucesión de centenios.

Considérese que allá, en su pueblo natal, allá como en cualquier otro sitio de provincias del mundo, en donde la cultura se estratifica en el modo de pensar que rige las costumbres y los hábitos, lo novel aparece como trivial entretenimiento de muchacho, sólo permitible hasta cierto punto, en el límite no extravasable de la demarcación común.

Y no se ha de esperar precisamente de la familia de un campesino pobre la percepción de la germinación inaudita. Allá estaba tendida la barrera invisible entre los mayores que ya habían escalado la tarima desde donde aventajadamente adaptaban su existir a lo instituído, la cabeza ya "asentada", y los más jóvenes cuya fatigosa obstinación en resistir a los fetiches espirituales que se amoldaban a la circunspección corriente, acarreaba aburrimiento cuando no disgusto. Y más tendida todavía la barrera si estos jóvenes hablaban de algo que no se ajustaba a la consideración del gusto ambiente, la respetable línea de los consagrados. Naturalmente, ese gusto anacrónico por lo laureado (se conocía mucho más a Núñez de Arce que a Rubén Darío), tendía a distribuir preferencialmente sus favores a un poeta de capilla y de fecha patria, ripioso o encanecido, que a uno de esos que actuaban con miras de porvenir, no agraciado siquiera con ningún premiecillo que lo elevase a la consideración de los clérigos o los municipales. La juventud tendrá que abrirse paso con riesgo de desgajarse en el trayecto.

El primer encuentro de Hernández fué en el mismo seno de su familia. Hemos visto cómo el padre impertérrito admitió que estudiase solamente dos años, pues que no era consentible un hermano más aventajado que otro. Los jesuítas, por cierto, no iban a dar a esta cabeza más de lo que al ambiente convenía; en cambio, eso sí, la óptica de la piedad, del temor a Dios y a reprimir toda idea extraña que pudiera acariciar ledamente; prepararle, en fin, para la aceptación dócil de cuanto la vida le depare dentro del marco estricto del ámbito en que se mueva. Es decir, lo imprescindible para manejarse y poder conducir, en caso necesario, los negocios caseros. La opinión del docente era infalible; ni hablemos de la del padre... Aquella breve educación, religiosa, esquemática y apodíctica, tendía a disciplinar la sensibilidad más que a estimular las apetencias. Cualquier pregunta inoportuna era pasible de un sermón "benevolente". Había temas que eran inabordables. El hecho de que solamente dos años haya seguido Miguel esos cursos, quizás no haya sido del todo pernicioso, ya que su fervor se exponía a una marchitez del cual ningún aliciente ulterior le hubiera librado. Entre el rigor de aquel hogar y de aquella escuela, iba a salvarle el aire libre, el entusiasmo sin trabas a flor de tierra, el enérgico instinto de libertad que crece cuando se vive dialogando con el viento a campo raso.

En efecto, el aire libre le condujo hacia sí mismo. Como un fruto en agraz que precisa del calor del sol para madurar, Miguel Hernández se lanzó a las largas caminatas con hambre de centelleos. Desde el comienzo se vislumbra el giro de exaltación salvadora que se alza desde su frente, la inquieta luz que asoma midiendo la distancia para dar el salto.

En lo que refirió después a Neruda de los quehaceres de su infancia, se ve la magnífica dilatación de sus sentidos despiertos y el febril ardimiento que no se apea nunca de sus ojos, se nota que no van a bastarle las superficies sino lo que cálidamente tiembla bajo las cosas, lo que respira más abajo y no asoma sino para quien sabe averiguarlo. Sus oídos no se conforman con escuchar los murmullos que a su alrededor hierven; sus labios necesitan registrar en la imitación cada rumor audible para que se dé por satisfecho. Está retratado ya cuando pone el oído sobre las ubres de las vacas y las cabras paridas para escuchar el canto de la circulación de la leche; cuando sus manos ordeñan, presionándolas levemente siente con emoción que descubre el enigma del origen y el principio de la vida. Sus sentidos se abren en tibio regocijo cuando, entre los frutales en flor, sopla la siringa de pastor a mediodía y se acuesta en las cumbres para sentir la barba del viento que le roza. En presencia suya se fecundan los animales y así se le revelan los sencillos misterios.

Sabido es que alternaba todo aquello con su tarea de repartidor de leche en Orihuela, lo que le permitió conocer todos los recovecos de la ciudad dormida al borde del Segura. Así se ve cómo ya en su hora matutina, el hilo trémulo le conmueve y la magia le rapta para su goce activo. Entre los mismos repartidores de leche, en ese tiempo, fundó un equipo de fútbol. Toda la agrupación repetía el himno que él compuso para "La repartidora", de vida tan efímera cuanto entusiasta, y debió haber sentido el cosquilleo inicial que suele acompañar a la grácil vanidad adolescente, al escuchar sus versos en el coro de los compañeros.

El agua del Segura, cuya fronda fluvial rozaga las tierras, agua turgente en donde se zambullen los muchachos y se retiran a indagar en los remansos; el agua del Segura, río que solaza los márgenes oriolanos, depara una hora de amistad con su pureza, hace olvidar las desolladuras de tanta oración y tantas murmuraciones, limpia el aire de la ranciedad de las casas que no guardan ni las intimidades, tal el asedio del decir de las gentes; desempolva la piel y restituye aliento a los cuerpos fornidos; agua patricia en que el niño Miguel se refrescaba.

En el Segura removía sus apetitos de frescura luego de mucha sofocación baldía, matriculado como estaba a las procesiones interminables, entre personas que atiesaban el rostro de tanto escudriñar en las flaquezas ajenas; allí se instaba a sí mismo a la soltura natural, a tocar el barro ermitaño del fondo cuyo color se le transfería a la cara. Se sabe que Miguel tenía afición por ese río; más aún, que tanta era su necesidad del abrigo del agua que solía salir a tomar el olor de la tierra fresca que deja la lluvia, cuando no la esperaba a campo abierto viendo doblarse las hojas de las higueras y los limonares. El agua era su elemento preferido, porque en su frescor curaba las nostálgicas averías de unas ansias de pureza esencial.

No se suponga, sin embargo, que en él se iba palideciendo la apetencia religiosa; no, todavía seguirá, súbdito devoto, por entre procesantes aupados por el compungimiento, regulado el talante por la gravedad del cortejo; por entre creyentes y seminaristas con estandartes, tras los símbolos piadosos. Todavía lleva con gallardía sus creencias, y a juzgar por cuanto quedó escrito en ese período, le relumbraba la fe en los ojos más que el sudor sobre la piel morena. Claro es que no podía escapar a la sobrepasación de un medio así, salpicado de plegaria y beatería. El aire del Levante más se retozaba entre ojivas eclesiásticas que entre olorosos herbazales, laderas, viñedos dorados. La huerta de Orihuela, famosa y opulenta, siente que le mueve las frondas el soplo conventual que por las calles estrechas le llega de los monasterios, como de la catedral pequeña, antigua, diminuta, cobijando tribulaciones que apenas le caben en la estancia solemne. Mejor decir: en el principio eran los monasterios. Orihuela se avino a vestir más capellanes que civiles y a tener tantas sastrerías eclesiásticas como ventas y figones; a vender en las mismas tiendas chocolates y cirios; potes de miel y devocionarios, azúcar y bulas, canelas y rosarios, lo sagrado y profano en promiscuidad con el tácito consentimiento de una leda, indeslindable costumbre de siglos. Ni el fuerte olor de la salvia y el orégano suple al de los incensarios, ni el color de los naranjales al del áulico solideo. Orihuela lauda a la divinidad y sostiene, con su pía viudez de progreso, el orden enfelpado de una clerecía feudal que le impide despertar del triste letargo.

Miguel Hernández baja día tras día, como del monte a la espesura, por las calles estrechas cumpliendo su faena diaria. Está a la vera de la adolescencia, es decir, de las rotundidades explosivas. Pocos adivinan la avidez del muchacho que observa todo, que trae consigo el heredamiento de las pasturas serranas, el eco de los cencerros y los tábanos, el olor de la cabra madre con aliento de leche tibia, el color de las calabaceras, el eco del aviso agreste de la caña pastoril.

Poseyendo la clave madrugadora, Miguel no cejará en su determinación de instruirse. Sin más señales que las que le entrega su seguro instinto, se precipita en un autodidactismo conmovente. Ya no es casualidad que los suyos lo encuentren por los sitios de pastoreo, engolfado en algún libro, con la majada dispersa haciendo estragos en la huerta de algún vecino. Devora las interminables novelas de Pérez Escrich, y se expande en alta voz leyendo versos, copiados fervorosamente en un cuaderno. En el terreno de la prosa pasea con Don Quijote, y se pasma de luz diurna con el adorable Miró, el Miró maestro que le lleva consigo hacia el perfecto equilibrio. Es impresionante la ardua batalla del muchacho por llenarse de conocimiento. Lo que la escuela deficiente le negó, él va a conseguirlo en el fuego de una dedicación constante. Su sed de perfección es enorme. Lee hasta muy altas horas de la noche, y la madre tiene que llevarlo casi en brazos. a la cama. El padre podrá refunfuñar lo que quiera;

él está ya internado en la selva sonora y nadie podrá rescatarle de su imantado encantamiento.

En el Círculo de Bellas Artes de Orihuela, lee cuanto cae en sus manos, sin cuenta del tiempo. Luego de Gabriel y Galán —¡cuándo no Gabriel y Galán!—, principia el tránsito de la simetría con Garcilaso y San Juan de la Cruz y no hay duda de que el Lope de las "rimas sacras" le alumbra con sus perlas de interrogaciones apolíneas. En tanto él mismo confesó que quien más le enriqueció, como al valladar el rocío, fué un prosista, el resplandeciente y recóndito Miró, paisano suyo, y que como tal buceó con escrupuloso y meditativo salto vertical en la tierra, en el ámbito reluciente del paisaje alicantino, con el subjetivo poder de incorporarlo a sus vivencias, en encantamiento maravillado. Miró le indujo a explorar los más vitales meandros del idioma. Y debe haberle llevado más lejos todavía, pues su imperceptible y fina ironía tuvo que dar en el blanco trascendente de las primeras e inequívocas cavilaciones sobre la Orihuela de las murmuraciones en simulación de beatería. Pronto llega el tropezón con Góngora, el del virtuosismo y la modernidad no igualada. Góngora le prepara el salto hacia los actuales, Machado y Juan Ramón Jiménez, y sobre todo Alberti, el Alberti de las conmemoraciones del año gongorino. Y además, Rubén Darío. ¡Ah, Rubén Darío!, cuya prolongación continúa, y que hizo decir a Neruda que "pasaremos la mitad de la vida negando para comprender después que sin él no hablaríamos nuestra propia lengua", y que le entregó deslumbradoras e innumerables claves. ¡Qué confusión entonces! ¡Cuánto rumor diferente en la acústica interior hambrienta y empírea! Entre continuos ejercicios, comienza a dar lo suyo. Y ¡qué curiosos son esos versos primerizos, teñidos de un éxtasis religioso tironeado por un profano panteísmo, por una sensual coloración que le traiciona a cada paso! Pero ¡qué temeridad también la del muchacho que quiere desenfundarse de sí mismo con anhelos de vuelo celestial y en donde se ve, en sus venas abiertas, tantas adherencias montaraces que son las que, en verdad, le surten y le remueven el fondo! Toda españa le suministraba el alimento brotador y fieramente robusto, comienza a verse la enérgica y grave presencia de los desconcertantes motivos, espesos y de sanguínea belleza, de la herencia española.

El hombre marca encuentro con la tragedia y el destino en la arena del ruedo taurino:

> Se citaron las dos para en la plaza
> tal día, y a tal hora, y en tal suerte:
> una vida de muerte
> y una muerte de raza.

¡Ay, una muerte de raza! ¿Qué tono es ese para un recién amanecido, quien, transeúnte de exaltaciones celestiales, vagarosamente es tironeado a aficionarse a un tono de exequia y de estupefacción temprana, entrando tímidamente en la recepción del eco aupador y trémulo?

A Miguel le falta aún enfrentarse con un auditorio juzgador, que sopese sus proyectos, en el que el aliciente del aplauso o la reprobación le instigue a una mayor autoconfrontación de sus propias potencias. Auditorio de amigos en el que pueda penetrar sin ofuscaciones, a pesar de su púdica timidez, propendiendo a la fraternidad humanizadora, que fué una de las constantes de su vida. Un día penetra en la panadería de los hermanos Fenolls, calle abajo. Es un ambiente de averiguaciones espirituales. Ambos —Efrén y Carlos Fenolls—, acogen al pastor y se inicia el juego del dar y el recibir que es el halo sostenedor del compañerismo. Ambos fueron ganados por la jocunda risa del muchacho. Y es allí mismo, en el hito de inauguración de las tertulias, donde conoce a Ramón Sijé, que ejercerá la tutoría de su avidez artística. En esas tertulias Miguel lee sus versos y cautiva a su auditorio. Se habla de religión y de poesía. Miguel seduce de inmediato porque tiene ángel, ángel interior, ese inconsútil relumbre visionario de las jerarquías más hondas que vibran como atavíos secretos, abajo, allí de donde proviene la potestad del sueño y los embriones de todo sacudimiento. Diariamente, en la panadería de los Fenolls, se expande y se recrea. Ramón Sijé le facilita libros, le aconseja, le da atención constante, le brinda entrañable amistad como a una flor egregía. "El pueblo de Orihuela", semanario local, publica un poema suyo; el primero tal vez. Por el Café del Levante aparece también —el recipiente de leche queda olvidado en la puerta— y sus sentidos se abren en las discusiones y en el vivo intermedio. Su ángel vigila sus triunfos.

Parecía feliz, parecía pleno. Pero el extraño tañido que se desliza por la música juvenil que a la sazón ensayaba, nos hace pensar que no lo fuera del todo, pues cuando alguna sinuosa penumbra comienza a interferir una escritura anhelosa de tono apaciguado, y emanando cierto escalofrío súbito, es que bajo la apariencia de la sucesión vulgar de una vida adolescente, algo se está quebrando, alguna circunstancia íntima le desasosiega. Posible es que haya sido el ruedo familiar al que se siente ceñido y en donde le falta atmósfera; posible es que su misma conexión con el medio se agrietara, o tal vez sólo esa orfandad súbita, inexplicable en esa edad de excitaciones.

Lo cierto es que siente que la sombra de la provincia le estaba aminorando la lucidez fehaciente. Hay un momento en que todo creador auténtico —incipiente o maduro— sufre al ver que le tremen los ejes y quiere cambiar de aire, más aún si tiene el alma desorbitada. Es difícil resistir a la tentación engañosa de los grandes centros urbanos cuando la bujía interior amenaza apagarse en la chatura aldeana. De Madrid le llegaban señales encandiladoras. Y dispone lanzarse a la aventura redimidora.

¡Cuántas esperanzas debieron acicatearle en esos días de decisión, de cavilaciones inconfesables!

Con una cierta niebla en el alma, salió a tomar el tren en el mes de diciembre de 1931. Los hermanos espirituales lo despiden, esos pocos que no dudan cuando apuestan por el éxito del amigo. Y cuando parte, cuando las casas van quedando atrás, la cara pegada a la ventanilla, quizá pensó, con el ánimo al rojo, que se le daba el instante nítido de una clausura y de un comienzo...

## PRIMER VIAJE

*Yo me vi bajo y blando en las aceras*
*de una ciudad espléndida de arañas.*
*Difíciles barrancos de escaleras,*
*calladas cataratas de ascensores,*
*¡qué impresión de vacío!,*
*ocupaban el puesto de mis flores,*
*los aires de mis aires y mi río.*

Si bien Miguel Hernández, en éste su primer viaje a Madrid no conseguirá mucho del ambiente literario que iba a frecuentar, la confrontación de la enervante mansitud provinciana con el rico quehacer de la gran ciudad, dejará en él cierta vislumbre del altivo resplandor de las nuevas ideas que prologarían pronto un inédito capítulo de la historia de España. Cierto es que este contacto no deja todavía huellas demasiado profundas, mas la chispa queda prendida, en lactancia contagiosa, y, si apenas vagamente se insinúa, será suficiente para preparar la hoguera futura en la tierra virgen del alma tímida del muchacho.

No está preparado para concitar mucha atención sobre su persona; es joven, su obra no sobrepasa el nivel intermedio y no consigue juicios sobresalientes. El reportaje que aparece en *Estampa* es una gota perdida en la corriente. Ni Concha Albornoz, ni Giménez Caballero pueden conseguirle un empleo razonable que le permita sostenerse. No cabe duda que él mismo se forjó una íntima ilusión, al calor del entusiasmo en la venida, ilusión desvanecida pronto por las barreras de dificultades que necesariamente surgen, a no ser que se llegue ya con una suma de perlas cuyo lustre nadie pueda oscurecer. Mas, él traía apenas la joya de su devoción recatada y ruda. No debe extrañar, por tanto, que haya necesitado pasar aún por el troquel recóndito, creyente y creador, del retiro fecundo, de la espera demiúrgica, para pesar y ser notado en aquella atmósfera rica de necesidades y de frutos de la metrópoli deslumbrante. Sus menesteres tienen aliento fuerte, y todo cuanto toque y envuelva a su postura de joven desconcertado y solitario, tendrá recepción en su sensibilidad abierta; por eso, si bien desmayó pronto por carencia de perspectivas y por presión de necesidades inmediatas, también recogió algo de la luz superior que entonces estremecía a España, algo de lo que se estaba fundando en aprovisiamiento de pasión y esperanza en la vida inquieta de esos años.

En provincias, en efecto, no se ofrecían a la vista las grietas que iban a abrirse con la ebullición de una conciencia nueva, pareciendo inamovibles las instituciones valetudinarias y entrabadoras, y la fertilidad interior del alma española no se elevaba todavía al rango explosivo a que llegó después. El temblor republicano, que es lo que adquiere fiebre y volumen en aquellas horas, apenas contamina al interior provincial, tapado por los límites divisorios de las tierras feudales y el betuminoso muro de las fortalezas clericales, que cercenaron por siglos el aliento insurgente, tiñendo las conciencias, ahumándolas entre incensarios, de resignación pordiosera. ¿No era el más grande pecado, la más turbia herejía, nombrar esas subversivas ideas que la endeble burguesía española tibiamente acariciaba? En tal ambiente, ¿qué de estrecho y oscuro no dejaría una educación jesuítica, qué temores inculcados no agitarían el alma del muchacho ante el menor atisbo de un liberalismo que pudiera deslizarse en una conversación, por más ligera y subrepticia que fuese? Un oscuro velo religioso vendaba los ojos, y el fraccionamiento del vigor natural en la anillante rueda del oscurantismo sentencioso y formalista, entumecía las acciones, anulaba, petrificaba, daba una coloración resignada a la vista, aglutinaba todo en un sedentarismo secular royendo las pasiones, enfriando el entusiasmo, canalizando los gestos, acidificando el respiro. ¡Qué auscultaciones entonces no había de tentar con el cambio repentino! Demasiadas diafanidades accionaban alrededor, demasiado elocuentes los hechos para mantenerse impermeable y no sentir también lo vivo espiritual que le circundaba. Y porque está en edad, edad nómada y única de indagaciones memorables, de convibrar en emoción traslúcida, de succionar con sus sentidos todo lo estremecido preeminente que a su lado fulguraba, se libró del torpor que trajo de Orihuela. Nada escapa a su mirada, que avaramente aprisiona y recrea; observa la red bulliciosa del existir en la ciudad de múltiples reveses; entra en las tabernas, solo y sin miramientos, para medir sus ámbitos; ve lo aurífero de esa Madrid trasnochadora y parlante; andando sin compañía, lejos de los suyos, un poco solo y aturdido, que es como se ve mejor, un poco dentro y un poco fuera del vértigo absorbente.

Allá, en el Levante, no le era fácil poner en claro —por la escasa visibilidad que deja el estar inmerso en su extatismo— la razón del retraso ofuscador, del naufragio monótono; en Madrid, en cambio, percibió los primeros signos esclarecedores, la simiente que se apelmaza previamente con sudor ciudadano, surgiendo luego y esparciéndose robusta hacia los cuatro vientos haciendo cambiar la dirección de las cosas.

Aprende el secreto de ver para testimoniar. Lo circundante tiene encarnadura orgánica que trepida en su sangre. En torno suyo lo vívido ronda y su sensibilidad recoge, con pánico y terror de asombro joven, lo circulante y fuerte. Todo ínfimo sacudimiento caía en él como llama de exploración rotunda, que hasta los mínimos rumores fertilizaban sus puertas con ecos de tañido profundo, sus laberintos jamás preservados de la agitación esencial que abrían sus márgenes para el venidero canto y el venidero sollozo.

Un fuego de víspera se lucía, pleno y meteórico, en la prístina transparencia de aquel diciembre de 1931. El flúor de algo nuevo, superpuesto al otro negro emplazado en la España devota y paralizada, pinta de color festivo y feliz los aires de la República del 14 de abril, que Jean Cassou llamó de "regocijo y de verbena". Miguel Hernández llegó a Madrid en medio del fúlgido entusiasmo, ocho meses después de que se hiciera flamear la bandera republicana sobre las torres feudales, que por no haber sido demolidas, seguirían como amenaza en latencia del general regocijo. Sean como sean las puntuaciones de corrección que puedan darse a la actuación tímida de la burguesía española, que luego de varias tentativas frustradas, consiguió el respiro que significaron esos años, y que por demasiado confiar o por demasiadas vacilaciones, no pudo parar el monstruoso engendro de traidora falacia que la sorprendió después, dormida y timorata, no es posible dejar de ver la urgencia y la prisa con que el espíritu español enseñó en esos años su opulencia y su impregnación de porvenir. Lo que sobresalta es esa maravillosa soltura creadora que en el aliento libre y sin trabucación alguna le dió rápida preeminencia. Lo que Miguel Hernández quería ver, había de sobra. Si desde lejos le hechizó el claror del movimiento artístico madrileño, de cerca debió sentirse atravesado por su claridad real y milagrosa; si allá le sofocaba la decoración antigua del ambiente sin preñez innovadora, aquí encontró la expansiva fibra de la inteligencia, de la poesía corriendo aguas abajo y exponiendo su lucidez plateada, su original y misterioso impulso, su alarde audaz en la frente de esos días en que se derogaban los gestos desusados, con varas mágicas, depuradoras.

Encontró un aire pletórico de fervores. El acento poético —al que mayor atención prestaba— tenía intensas lumbraradas. Rodaba la moneda lírica con inéditos tintineos. Allí se encontraban los poetas que él leía y admiraba: Alberti, Aleixandre, Cernuda, Salinas, Guillén y otros, además de los orientadores Bergamín y Alonso, todos ya con obra y cada cual con rumbo propio en aquel inquieto 1931. La poesía bajaba a la calle, y con idéntica magia e idéntico sortilegio que ayer, venía a recoger la palpitación que emanaba de los hechos del pueblo. El Alberti neogongorino del homenaje al cordobés ilustre, daba rumbos sociales a su obra y su "Elegía cívica" hacía sospechar caminos de imprevisible riqueza. Ya se había entablado también aquel duelo terrible entre la pluma encendida, sin claudicaciones, de Unamuno y la enfebrecida espada de Primo de Rivera. El aire de la libertad llenaba de incendio las gargantas. Miguel Hernández no entabla todavía conocimiento con ninguno de sus futuros amigos. No cabe duda, empero, que la atmósfera política de ese año tuvo peso gravitatorio sobre sus sentidos despiertos.

Transeúnte perdido, con el sólo incentivo de su enjundiosa curiosidad, pasó inadvertido en esa su primera visita a Madrid. No quedan huellas de que se haya puesto en contacto con lo granado de esa intelectualidad que sobresalía. ¿Por timidez tal vez? Desaparecido en el tráfago, se instala en una pensión de la Plaza de Santo Domingo, y presiente las dificultades que van a obstruir su tranquilidad haciéndole imposible la permanencia. Cuenta ansiosamente los días que transcurren, porque el poco dinero que trajo se le va acabando. El fantasma de la privación —¡cuándo no!— amenaza su vagabundeo anónimo. Orihuela le parece distante y pasa las noches en el primer aprendizaje de la miseria. Nada importante escribe. Apenas borronea algunas cartas. Es como si quisiera romper el cordón umbilical que le ata a provincias. Pero pronto, entre el tirón ascendente de las necesidades que apremian y la pesada soledad que le rodea —no tiene amigos—, se resigna a volver, estrujado por la nostalgia. Como siempre ocurre en estos casos, garabatea a Ramón Sijé unas letras engañosas en donde deja su constancia de su saturación de Madrid. ¡Pobre Miguel! ¡Cómo le cuesta volver derrotado al sitio de donde partió con un sueño de gloria! Se ordenó el perentorio regreso.

Mas en ese regreso —como para totalizar la experiencia— entablará su primer diálogo con la guardia civil, diálogo que ha de sucederse en otras ocasiones, y del que el empedernido poeta saldrá malparado, aunque adiestrado para el enfrentamiento de después, en el que el merodeo de la penumbra y el insulto no darán sólo señales apresuradas sino que resaltarán en carbón definitivo. Ya ponen cortapisas a su efímera libertad. Lo recluyen, porque se metió en el tren con una cédula personal que no era la suya.

Ya está en pleito con su inquietud incurable. Si la ciudad le desagradó, adivina que la mansitud oriolana amenaza sumirle en consternación anónima y va sabiendo que el fuego tasador de sus quilates tendrá que salir de sí mismo, que por su propio esfuerzo se ha de redimir del incomprensivo silencio levantino. Con estos pensamientos regresa. Pero la metrópoli continuará a sus ojos como un miraje encandilador y anhelado. Dice aborrecer a la ciudad al mismo tiempo que la ama, y los denuestos que se arranca entonces tienen ecos de infantil borboteo nostalgioso. Viene con prevenciones y prejuicios. Todavía le embaraza su naturaleza agreste e inadaptable. Cuando escribió a Sijé que Madrid no le había impresionado, miente; aunque se creyera impermeable al tornasol ciudadano, las interrogaciones que le suscitó el vértigo son signos de que las semillas le cayeron hondo.

Como lo había hecho el Gabriel y Galán de sus

primeras lecturas, denostó a la ciudad "viciosa" y se estaba escamoteando la verdad cuando, al regresar al campo, decía regresar a la pureza. En verdad volvía sin ganas, dentelleado por el disgusto y el temor. Tanto es así, que al estar otra vez entre los suyos, se le ensanchó de nuevo la visión de Madrid. Lo que ocurrió fué que Miguel sintió la seducción de la fama precoz y creyó en ella; mas, en su primer viaje no tenía obra para que pudiera gustarla y su extremada juventud le impidió hacerse notar como quería, lo que motivó el conflicto, seguro como estaba de su propio valer. Regresó a Orihuela para recoger fuerzas y volver a dar el salto.

La nostalgia, como saldo, agregó una cuerda más a su arpa estremecida. La perspectiva le fué útil, tanto que cuando regresó tenía completa noción de a dónde regresaba. El *Silbo de afirmación en la aldea* que escribió mucho después, retrata el estado de ánimo de ése su primer retorno. Echa tierra sobre la "ciudad cojitranca" en donde la velocidad, el artificio, le escamotean del vivir sencillo, de la aldea donde "se halló la mejor vida". Sabemos, sin embargo, que aquella "mejor vida" le deslucía ya el ímpetu y que se holgó en aquel viaje descongestionador. El "Silbo", muy a lo Gabriel y Galán, ostenta un ingenuo fervor terruñero. La diferencia está en que Gabriel y Galán es el señor que regresa a sus dominios:

Los que andáis sin hogar, solos y errantes,
guardando mis ganados noche y día
. . . . . . . . . . . . . . . . . . . . . . . . . . . . . . . . . . . . . . . .
todos los hijos del trabajo rudo
que regáis con sudor la hacienda mía...
. . . . . . . . . . . . . . . . . . . . . . . . . . . . . . . . . . . . . . . .

Miguel, en cambio, circuído de aires más humildes, viene "a cultivar el romero y la pobreza", "alto de mirar a las palmeras / rudo de convivir con las montañas..." El primero quedará definitivamente en su "hacienda" en tanto Miguel apacentará sus rebaños.

Mañana la ciudad le dará el esplendor, porque la ciudad es apogeo, centro, no solamente "escaparate de bisutería". Y, aunque no lo diga, lo sabe. Esperará, es cierto, la madurez de sus espigas.

Y esperando queda otra vez en Orihuela.

## DOMANDO EL PULSO...

*Pero volví en seguida*
*mi atención a las puras existencias*
*de mi retiro hacia la ausencia atento,*
*y todas sus ausencias*
*me llenaron de luz el pensamiento.*

Involuntaria es, a todas luces, su permanencia en Orihuela ahora; involuntaria, por sentir su regreso como una derrota. Porque una cosa es la nostalgia de la tierra y muy otra las impresiones de la vuelta. La confrontación con otras experiencias establece el disloque inevitable entre lo que se soñó que era y lo que es; más todavía cuando el retorno importa cerrar tras de sí una puerta hacia un aire abovedado y rutinario. Miguel Hernández se salvará por obra de su entusiasmo y su encendimiento. Le esperan los mismos trabajos y la misma casa paterna en cuyas estancias nunca podrá desperezarse del todo. Otra vez la vida opaca y provinciana. Sólo le resta aspirar a pleno pulmón los aromas y las claridades, que es lo que va a convertirle en el testero de fecundas floraciones.

Adivinó en Madrid que la redención le vendría por obra de una labor sólida y grande. Por eso, cuando retorna, lo hace con la pasión en vilo, escuchando la prisa del llamado interior.

Frecuenta nuevamente el ruedo juvenil encabezado por Ramón Sijé y ensancha el círculo de sus amigos. Está más concentrado y pensativo. Al Círculo Católico le incorpora el neocatólico Sijé, y allí se hace escuchar, superponiéndose a la opacidad que le rodea. Ninguno de los que lo conocieron por aquel entonces podrá olvidarle ya, pues cuanto toca se anima al conjuro de su fuerte prestancia. Ejerce una visible influencia, que es un poco transmitir su manera de ser a los otros. Como irritado consigo mismo, no controla los exabruptos cuando conversa. Sus explosiones alegres le dibujan una imagen de plenitud que contrasta con las tristezas que se le están incubando por dentro. Miguel Hernández llevará siempre en el rostro esa exhibición de apogeo jocundo, en pugna con las penas que le devoran, en dualidad desconcertante.

Para estar consigo mismo, para verse el revés y el talismán fosfórico que sólo él conoce en su estancia secreta, a la noche deambula por las ríspidas cuestas, contempla la respiración misteriosa de los animales que no se sabe si duermen o si se han vuelto un blanco estremecimiento de la luna. ¡Las insondables noches de luna del Levante! A su cobijo escribe, perseverando bajo sus cendales, e iluminándose de vaporoso encantamiento. Retorna muy tarde, y la madre solícita le apresura el descanso. No obstante, el ambiente familiar no ha variado. Idéntico silencio, la misma incomprensión que le consume la risa. Es el extraño a quien se importuna con previsiones crueles de un futuro vacío y "sin carrera". Doble heroísmo el suyo, por tanto. Asombra pensar cómo iba avanzando. Sigue una batalla dura contra una cultura escasa, agenciándose libros que devora en las prolongadas noches de desvelo. Ya no es para él eso de ordeñar todos los días, ya no debía ser para él, mejor dicho, eso de andar entre olores de estiércol, de trabajar en el pozo o apacentar el rebaño mientras vuelan sus pensamientos. Y le fastidian sobre todo —él lo dice— esos "seres a quienes concedo mi palabra de imágenes" ¡Triste suerte la de no estar dotado para otros menesteres que el soñar! Incapacidad que es siempre un martirio y que prosigue sin términos. La eterna prueba, el eterno rebotar sobre los hechos inconsútiles y que son, para los demás, los condimentos de que está compuesta la vida. Comienza a ignorar el mundo externo en sus ángulos rutinarios (sus ojos van más al fondo), lo que es el signo del precipicio y la caída. Predomina en él, como en tantos otros, la impresión de una andanza vagarosa en el vacío, lo que engendra un áspero conflicto que dramáticamente le separa de los suyos. Pero nunca intenta contradecir lo que es ya instinto primigenio, de tal modo que la brega se concentra en sí mismo y no evita despeñarse en el abismo de su aérea naturaleza. Vive para sí, porque sabe que en esa hora el vivir para los otros es la ruina y el fracaso. De entre los estiércoles, pues, levanta el vuelo.

En la panadería de los Fenolls prosiguen las tertulias. Miguel, subido sobre los sacos de harina, alborea la estancia con la gracia de sus grandes ojos, leyendo furiosamente sus últimos poemas, los penúltimos siempre, pues que a él le nacían como ecos que arrastraban a otros ecos.

Un día, le cabe un suceso feliz. Él, que solía ir a Murcia, se encuentra en casa de Raimundo de los Reyes con Federico García Lorca, que a la sazón dirigía su teatrillo "La Barraca". Por allí andaba el andaluz prodigioso, acuciado por el deseo de ilustrar a su pueblo con sus representaciones de los clásicos. Lorca debió haberle seducido con su "duende" y dádole entrada para el cordial y fraterno diálogo, ya que Miguel le hizo leer las pruebas de su libro *Perito en lunas* que a la sazón le imprimía la editorial "La Verdad" de Murcia. Lorca lo estimuló, como estimulan quienes saben percibir que tienen enfrente al dotado de la viviente y plena euforia creadora. Claro es que en ese libro primerizo no podía pulsarse la riqueza cabal del muchacho, riqueza que dormía aún ignota y escondida. Mas, algo latente había que no escapó a los ojos zahoríes del granadino vidente. Lo cierto es que Miguel Hernández intimó con él, tanto que, a cierto tiempo de aparecer el libro, le escribió quejándose acerbamente de la indiferencia de los críticos, carta a la que Federico contestó con palabras consoladoras. Le dice: "No se merece *Perito en lunas* un silencio estúpido, no. Merece la atención y el estímulo y el amor de los buenos. Eso lo tienes y lo tendrás porque tienes la sangre de poeta y hasta cuando en tu carta protestas tienes en medio de cosas brutales (que me gustan) la ternura de tu luminoso y atormentado corazón".

¡... la ternura de tu luminoso y atormentado corazón! Cómo caló hondo Federico en el conocimiento del muchacho. Y eso que lo vió entonces una sola vez.

Así se le van abriendo las puertas para las amistades nobles e imperecederas.

Impresión honda debió dejarle "La Barraca", hermosa de esplendor vital como traqueteada en los caminos, ya que inmediatamente siente la necesidad de hacer lo mismo. Y, en un infantil y candoroso arranque y con el apremio de mitigar su sed de nuevas experiencias, aprovecha la ocasión de tener que estar en Cartagena, en cuya Universidad Popular dará una lectura de sus poemas a los obreros, para lanzarse a las ferias y los pueblos, poetizando entre sencillos paisanos que lo acogen con asombro. Lleva a cuestas una jaula de la que pende un limón, simbolizando un canario. Pretende deslumbrar, con raptos de originalidad, a las gentes. La suntuosa travesía acaba en Cartagena, en donde, además de ver el mar, coloca un melón sobre su mesa de lecturas. Ha vendido también ejemplares de su libro, asunto importante, ya que había contraído deudas para financiar su publicación. En el trayecto, que hizo a pie, parecía una figura de escaparate entre el despliegue aparatoso de cartelones con dibujos alusivos a temas de su poesía. Regresa pronto y feliz por el éxito de su aventura.

Antes de eso, había participado en el homenaje a Gabriel Miró, ante cuya estatua deja un ramo de flores, con un garbo de liturgia pura y en gratitud a la expansión que el olezano le brindó con su prosa. *El clamor de la verdad* fué la revista que coronó los actos. Allí había publicado Hernández su primer poema, y, ¡cosa curiosa!, lo que subsiguientemente después escribió no alcanzó ese soplo apretado que su *Limón* (así se titula el poema) exprimía en fresco jugo. Sin atenerse aún a mal aprendidas retóricas, esparciendo apenas su claridad candorosa, sin aglomeraciones ofuscadoras que le deslucieron las ulteriores tentativas, escribió con áurea y fúlgida hermosura:

Si te suelto
en el aire,
oh limón
amarillo,
me darás
un relámpago
en resumen.

¡Un relámpago en resumen! Hallazgo mañanero que las bituminosidades de lecturas apresuradas aventarán con su peso. Alguna prosa sin importancia y otros poemas que apenas son improntas de su camino, van quedando olvidados. Porque ya se ha puesto a leer a Góngora, y a los nuevos, Guillén, Gerardo Diego, Alberti. Las octavas reales de Góngora le ilusionan y embriagan. Instigando su imaginación en las altas noches que iluminaban los montes escarpados, las llanuras, se volvió pronto un experto en sueños, un perito en lunas. Así iba a titular su primer libro, como ya hemos visto, título ingenuo si consideramos que poco tiene el texto de lo que, tal vez, en su imaginación impúber se abrigaba.

Tropezando iba Miguel por rupestres sendas de enmarañada retórica. Como siempre acontece en las incursiones primerizas, sufre el hechizo, el miraje de las palabras, no en su profundidad germinal y temblorosa que se le escapa todavía, sino en sus pirotécnicos atractivos, con los que juega su precocidad y en donde su mirada fraterniza con la intensa exposición de los laberintos fonéticos. Es arrastrado por el color, por las subyugaciones del idioma que le coagulan el respiro, y el divertimiento le aturulla las ideas. Le arroba la computación pictórica de las palabras, agavilladas en tropel por su ingenuo asombro. Poco hay de suyo allí. Candorosamente —¡cuándo no!— busca la innovación por vías del empleo de cuanto léxico incomún o en desuso esté a su alcance. Neologismos y arcaísmos traídos a contramarcha le momifican el aliento y la falsa postura le desquicia los pasos, todo como consecuencia de su escasa cultura. Hubiera sonreído el padre Góngora de las cojeras del tardío discípulo que, por tan descaminado que andaba, dejó escapar la esencia y se quedó con la copa seca. Se enrevesó en las fórmulas. Y ya sabemos que en tanto no se trasciende eso, se está en la página no escrita, en el vano esfuerzo del arquero que no dispara la flecha. Los versos suenan a moneda falsa, a esplendor engañoso, a piedra echada en saco roto. Lejos está todavía del momento en que la sobrepasación de los problemas de continente y contenido, en simbiosis establecida sobre un vínculo único, inaugura el nacimiento del arte valedero. Mas, como nadie escapa completamente a las impresiones visuales que le son más caras, inevitablemente las traduce, así se las distorsione al punto de aflojarle las legitimidades en demasía. Un aliento terruñero desemboca por las aristas cinceladas de sus octavas reales. Y entonces se mezclan, presencias de ubres domesticadas, desafíos de verano, acequias y arenales, con realidades artificiosas que, por no ser las suyas, le hacen incurrir en deslices frecuentes. Le dislocó la voz un culteranismo candoroso.

Pero de algo le sirvieron los fuegos de artificio, pues que si pagó por ellos el tributo de una obra frustrada, no por eso la experiencia le sirvió menos, tanto que pronto atemperaría su seducción hacia el léxico incontaminado —¿existe eso?— y preparó la yesca de su explosión legítima.

Ramón Sijé, que por quererlo demasiado tenía que exagerar, prologó su *Perito en lunas* y lo que sí hubiera podido escribir para sus poemas de después, de sus horas de fuerza y lucidez insurgente, lo dice allí, es decir, que Miguel "ha resuelto su agónico problema: conversión del *sujeto* en *objeto* poético. Porque la poesía —y *su poesía*, con musculatura marina de grumete— es, tan solo, *transmutación, milagro y virtud.*" Y el 20 de enero de 1933 —merienda y alegría de sus 22 años— impresos bajo la dirección de Raimundo de los Reyes, en Murcia, los primeros ejemplares, de tapa rústica, le caen en las manos con reverberación y veracidad de fruto primerizo. Está con la inicial euforia de quien prevé repercusiones invulgares, y se sorprende pronto de que así no suceda, tanto que, como dijimos, se quejó amargamente a Lorca del silencio que desvaneció su confianza.

Las súbitas murmuraciones de su sangre le impelen a otros caminos. Pronto, muy pronto, los ecos de *Perito en lunas* se esfuman y, bajo el cruzado fuego de lecturas nuevas, se afirma en otros tonos. Además, la actividad cultural del grupo, siempre con Sijé delante, perpetúa la angustia juvenil en emprendimientos que exponen su apetencia. El excedido fervor continúa, Aparece *El gallo crisis,* la revista de Sijé. El grupo oriolano está en vías de registrar su vitalidad a todo trance. Y Miguel, acicateado de continuo por el burbujeo escondido, persiguiendo el grito que capture lo definitivo, va a dar enjundia y prestigio a la publicación, él, el más joven y el más ubérrimo, levitándose para zafarse de las amarras gongorinas que le constreñían el vuelo. Y da a luz el *Silbo de afirmación en la aldea, La profecía sobre el campesino,* poemas de tránsito, calados por las respiraciones augurales de su vena atrevida.

Impelido por el insaciable apetito que le estremece, en un último impulso de religiosidad en que pretende asegurar de las bridas al símbolo y al misterio, bajo el padrinazgo de Calderón escribe —¡salto en alto!— su auto sacramental *Quién te ha visto y quién te ve y Sombra de lo que eras*, enjoyado de imágenes soberbias. Por lo visto, sin concesiones ni debilitamientos, pretende extraer de la rica vid de su juventud vertiginosa vinos de púrpura prestigiosa. Y los extrae. Su inquietud le predice años de rebullido destino, le advierte que los calmosos días oriolanos acabarán. Trabaja febrilmente, el pulso optimista ante la tentación de las páginas en blanco. Para modelar sus personajes y dotarlos de rostro más real, convive con pastores en columpio voluptuoso. Su auto plantea el problema moral del ser en pecado que ha de redimirse por la posesión de Dios, a través del compungimiento y la eucaristía. Todas sus posibilidades líricas se vitalizan en la excitación teológica. Hernández, de natural azotado por sus tormentas íntimas, sufre plenamente su obra. Su mundo poético sale de madre. El neocatólico Sijé estimula ese derramamiento, sin imaginar que la obra será el canto del cisne de la religiosidad del poeta. No lo ha estimulado en vano, por cierto. Hernández midió su capacidad y comenzó a liberarse del aura católica. Paradójica consecuencia de su incursión teológica. Se adentró para salir definitivamente. Feliz el resultado, y mucho más feliz el muchacho cuando comprobó su impacto sobre el público que, en efecto, escuchara con sorpresa y recogimiento la lectura que él mismo hiciera en el Casino de Orihuela.

El mundo le pertenece. Goza de una pequeña fama y, entre cotidianas contrariedades que se suman, escribe como nunca. Algo va a cambiar de nuevo en su poesía, llenándose de imprevistos ecos, ya que algo hermoso y esencial le ocupa ahora toda el alma. Porque nada le sacude tanto como el excitante tropiezo que tiene en los días finales de 1933 con quien despierta sus sentimientos hasta los límites del éxtasis, la voluptuosidad, la alegría, la beatitud, nivelados en un mismo crisol estremecido.

Excitante tropiezo que le condujo hasta la llama.

# LA LLAMA

*No tienes más que hacer que ser hermosa,*
*ni tengo más festejo que mirarte.*

Está en la edad de los descubrimientos prodigiosos. Entre quehaceres de pastoreo y poesía, el avispero de su corazón enloquecía, necesitado del juvenil arrebato amoroso que pudiera polarizar sus extravíos en una ruta temblorosa.

Su nombre de poeta se pronuncia entre las muchachas, que se ruborizan cuando él se detiene a contemplarlas.

Su gallarda gallardía
entre todo el mocerío
¡qué bien le sobresalía!

Escuchaba ya voces que prometían el privilegio de una ternura, sonrisas que le tocaban el retoño del vigor maduro, alientos que le harían perder el dominio de sí mismo. Así es que estaba ya preparado, cuando una coincidencia dichosa hace brotar en él la vicisitud amorosa. Pronto se tornó realidad lo que era un anhelo entre bastidores de su alma. El amor lo liberta de la incolora rutina.

Un casual encuentro le ha alterado la calma. Miguel, que trabaja ahora en una notaría, en donde las tardes se le hacían soportables gracias a propalar sus ojos detrás de las muchachas, siente un día que la excelencia de sus grandes miradas azules —seguro espacio para acoger la quemadura— se encuentra con la de dos ojos negros y hundidos, procedentes de un salón de costura próximo a la notaría. Y como está urgido de vibrar al menor estímulo, recibe el impacto. Y lo recibe, porque todo en él está dispuesto para confinarse en la zona del apogeo y de la fiebre. Inacabablemente fertilizado, procura la provisión maravillosa.

Ábreme, Amor, la puerta
de la llaga perfecta.

Abre, Amor mío, abre
las puertas de mi sangre.

Así, Amor con mayúsculas, exigiendo la totalidad, la ascensión que le vuelva aurífero en la inspección de sus profundidades, abierto a la revelación acendrada. Tanto amontonó sus sueños amorosos, sueños vindicadores de la monotonía, que al contacto de la primera chispa acabó hechizado. Su ubérrima sensibilidad esplende sin máculas en este primer contacto puro; se eleva, en trances de impaciencia, porque penetra en el misterio mismo de la especie. El hermanamiento a través del dulce flagelo ha de darle la unidad necesaria que le complete en una visión más fértil de la vida.

La primera embriaguez amorosa será la única y perdurable en Miguel Hernández, al que todo se da con plenitud definitiva; el incendio va a constelar todos sus actos venideros. Aquí no hay la remoción provisional de la tierra que prepare la siembra: el fruto espera ya con trémula redondez, así es que al tactarlo el golpe es violento y verdadero. Su entraña misma ha sido tocada, pues como un filo inquisitivo allí aguardaba la sobreexcitación auscultadora, guiándole hacia la espesura fertilizante.

La vida de Josefina Manresa Marluenda, cuyo nombre es el de la muchacha, es también de duro sacrificio. Hija de un hombre rudo también, continuos sinsabores oscurecieron su infancia. Ha nacido en Quesada (Jaén) el 2 de enero de 1916, y, como son cinco hermanos, y numerosas las dificultades del hogar humilde, pronto tiene que ayudar al sustento diario de la familia. Espera cumplir los 11 años para poder asistir a un colegio de monjas donde aprender a leer. Al año tiene que abandonarlo. Fuertemente católica, todo cuando aprenda después se deberá a su curiosidad intensa. Todo el silencio que pasó ante su mirada, exterior e interior, le dejó como saldo definitivo un gesto de taciturno recato. Sencilla y pensativa, pudo soportar toda laya de sufrimientos. Una robusta alma en una envoltura endeble. El padre traslada a Cox la familia toda y Josefina trabaja en un taller de costuras en Orihuela. Aquel día del encuentro con Miguel Hernández iba a cambiar los rumbos de su destino.

Para Miguel la revelación es inequívoca, total. Al comienzo Josefina se muestra esquiva, como para disciplinar desde el principio el fiero acecho del poeta. También ella alimenta un sueño de expansiones mayores, y no piensa cejar ante el primero que se le acerque. Le han dicho ya que el muchacho escribe versos. Un poeta. Lo que ella no pudo medir era el tamaño de la hoguera. Miguel, hasta el momento, no se ha gastado sino en las tertulias con los amigos, en un frustrado viaje y en las menudencias diarias. Inflamado por la excitación del primer encuentro, su fragor no encuentra diques contentores. Se advierte que ella resiste, tal vez por una premonición oscura que le interfiere el impulso. Pero Miguel, cuyo ardimiento se multiplica en solicitaciones, tampoco cede; y el juego del requiebro y el rechazo no hace sino alborear un estremecimiento que apetece culminar en un filtro amoroso. Así sucede. A la primera ocasión propicia se le acerca. Reclama, solicita. Josefina huye. Miguel insiste. Pronto descubren ambos que un hierro vibrante los enlaza. Bella la hora de este encuentro, como lo es siempre la del poeta y su musa, que eso es, para él Josefina Manresa, palpitación de su apetencia, fuente donde se mira Narciso, única medida en donde ha de calibrar su peso espiritual y medir su estatura.

Miguel exigirá el máximo de entrega, la máxima dedicación, el máximo cuidado, esperando de ella lo que el mundo al parecer avaramente le negara. Se encuentran, por lo general, frente a la puerta del Cuartel, que preferían para estar solos. Algunos paseos furtivos a la glorieta, algunas pocas miradas de angustioso anhelo. El ambiente provinciano no les permitiría más. Tormento para Miguel, que no acababa de resignarse a esos retaceos. Las cartas y las esquelas se entrecruzan, adelantando los goces del encuentro, insuficientes en su pobre temblor de papel que no puede suplir la súplica de la inocente caricia que urde las convulsiones.

> Tus cartas son un vino
> que me trastornan y son
> el único alimento
> para mi corazón.

El grifo abierto inunda la tierra con delirio.

La historia de esta pasión va a ser registrada día tras día, minuto tras minuto por su creación poética, por sus confesiones epistolares. Un temblor inédito hasta ayer conmueve su poesía. Es casi increíble cómo todo cambió de súbito en los versos que escribe por esas fechas y cómo un acento nuevo, tímidamente, estremece el vocablo. La magia es absoluta, confidencial, constante. Constante y *para siempre,* porque de aquí para adelante la hondura amorosa se repetirá en su voz como en letanía; galanteo, requerimiento creciente a la pretendida, a la novia, a la esposa, a la mujer, en fin, que le da acceso a la religión del asombro perenne.

Miguel Hernández —hay que afirmarlo— es el enamorado innato, perentoriamente conminado para la sobrepasación inflamada. En su timidez sabe que ha hallado el ideal acariciado. Modestia y recato, belleza y alma, eso es lo que encuentra en Josefina Manresa, que si huyó al comienzo de él, fué temerosa del atrevido acecho del joven poeta. Miguel tenía la vocación acrecida para la colisión emotiva, ostentando el fervor adecuado y la disposición para exponerse al empuje, a tal punto que no han de evaporársele las fértiles emociones, las que le dictan la más pura inspiración en su círculo de ensueño.

Con veintitrés años a cuestas, con el corazón dispuesto a las resonancias, carga consigo un bagaje rico de experiencias. Tiene la imaginación encendida de tanto haber presenciado la alternación del quite y el desquite en el deseo primario que presenció por los campos. Entre los animales que cuidaba aprendió la primera lección del instintivo acercamiento. Fué testigo de su fuego sexual desnudo y purificador.

Ya conocía, por ejemplo, que en la luna creciente los chivos salen con mayor ardor detrás de las hembras "orinándose las barbas y el vientre, porque saben que el olor de la orina despierta los deseos de las hembras". Una vida natural —se levantaba siempre antes del alba, todavía oscurecido— le dió una vigorosa salud y una gran pureza en la concepción de la vida, además de una sensualidad no mellada por constreñimientto alguno. Conoce todo cuanto es dable naturalmente conocer. Percibe que hasta la hierba menta acicatea el deseo. Con todas esas iluminaciones consigo, es cuando encuentra a Josefina, y al encuentro de ella marcha con el varonil apogeo de sus sentidos. El amor se le reveló, entonces, en los campos, en su estado primario, de reiteración vencedora, sin rehusamientos pecaminosos, teniendo en él repercusión el impulso oculto y genitor, la densidad y la transpiración vibrantes.

En su drama *El labrador de más aire,* de fecha posterior, expresó su ideal femenino por boca de Juan, el personaje que es su doble:

> A mí me ha de enamorar
> de una manera acendrada,
> mujer que no luzca nada
> sino este particular:
> como la tierra ha de ser
> de sencilla y amorosa,
> que así será más esposa
> y así será más mujer.

¿Era así esa Josefina Manresa que conoce en aquellos días, y a la que, como para descubrirle su pasión insomne, envía pronto un soneto —¡ah, cómo será después maestro en esto!— donde le dice que vive sólo "girando alrededor de su esfera"? Miguel no se equivocaba en la elección. Ella también soñaba con un amor grande, de acuerdo con su naturaleza misteriosa de mujer replegada en sí misma, sueño que iba a expandirse en una ofrenda turbulenta, aunque entogada de timidez idéntica. Más de veinte años después recordará ella todavía con cuánto anhelo anticipó la llegada del hombre de su vida. También preparó con soledosa fertilidad el encuentro que, por eso mismo, fué un derroche de llamas. No fué desaprovechado un único instante de felicidad. Lo dicen estas líneas que Josefina Manresa nos dirigió hace un tiempo, recordando esos años: "El tiempo lo teníamos como nuestro y no desperdiciábamos ni un momento, y en tan poco tiempo vivimos siglos" ¡Vivimos siglos! No podía ser de otro modo entre dos seres ganados por el desvarío de la embriaguez inicial, cobijando un fuego que los ungía con su estremecimiento ingente.

> Sé verdadera, sé clara
> como eres tú, y no presumas
> de mentirosas espumas
> que no le van a tu cara.

Comenzó entre ellos el aprovechamiento de cuanto conmueve y encumbra. Él le habló, entre otras cosas, de su infancia, del padre severo, de su remota afición a la poesía, de cómo en esos transportes olvidaba por las cumbres a las majadas...

Florece el amor, florece la poesía. Miguel, que como todos los buenos aprendices tiene su cuaderno de versos, cuaderno que guardará siempre como para que nunca se le postergue la vocación de apego a lo juvenil, casi no advierte la resolución con que el nuevo sentimiento propugna su primacía en la letra menuda de sus estrofas. Al mero ejercicio bucólico sucede un añadido de palpitación real y humana, como rescoldo de la fogata turbadora en que vive. Con febril fogosidad acude a los encuentros con la muchacha, y a esos encuentros va con predisposición de tribulaciones. Ya entonces se manifiesta esa necesidad de entristecerse para crear. Y por eso, ante los desvíos de Josefina, desvíos que nacen de la timidez rural más que de nada, Miguel se insinúa ya doliente, exhibiéndose como un aire que ronda en desvaríos, solicitando favores y enlutado por el rechazo. Él es el núcleo del amor. El que requiere y ama. Así gustará siempre presentase, como quien ronda un centro esquivo. En el prime soneto que le entrega lo manifiesta:

Satélite de ti, no hago otra cosa
si no es una labor de recordarte...

Es el varón que va a seducir a fuerza de acecho y ardimiento. Antes que ella le dijese su nombre —en las horas primeras de la imperceptible y sugeridora sonrisa—, Miguel le prometía ya poemas. Y cuando le entrega aquél en que habla de la virtud y la gracia de ella, se define como alguien que no tiene más destino que desasosegarse ante su hermosura.

¿Estará amando, más que nada, a una incorpórea ilusión? ¿Ha ensoñado un relámpago y quiere extenderse bajo su quemadura? ¿Quiere ir, pródigo de estremecimiento y sed, acicateado por la fabulación, hacia el espiral de exceso que en el amor concibe y adivina? ¿Es verdaderamente él el rechazado que va a llenarse de destrozos si se le inflige el castigo de una negativa? ¿Su avidez llega al límite de la mayor potencia, que ya puede estar seguro de haber encontrado la definitiva piedra milagrosa? ¿Es Josefina tanto así, principio y término a la vez de un incendio inabarcable?

No cabe duda que en ese primer diálogo en la

plaza de Orihuela, en la plaza Nueva, con Josefina Manresa Marluenda, se echaba en su vida una semilla de delirio cuyo crecimiento ningún evento futuro amenguaría. Ese amor sin atenuaciones, vertido en el crisol de su ardiente temperamento, pondría un ademán de encanto en sus gestos rudos, y, en su vida, la riqueza inigualada de una esplendorosa fuerza.

Y si de vez en cuando riñen, es porque él, en la ebriedad de su exaltación, anhela la absoluta concordancia o simplemente porque es un espíritu "difícil". Su anhelo de concentrar bajo sus ojos todo cuanto encuentra de inaprehensible en la muchacha amada, le torna irritable. Es que Josefina no puede desarticularse hasta el límite en que el poeta penetre los más recónditos meandros de su corazón, que es lo que él se propone en su infinito deseo de abarcar hasta lo inabarcable. Sin embargo, las perturbaciones son pasajeras. Ella encarna, no hay duda, su ideal de belleza. Tanto es así, que sus sentimientos se acendran para toda la vida en ese rostro de calmosa y eficaz dulzura. Quiera o no, Josefina sirve de dique de contención a su volcánico desorden; es la serenidad que no perturba el vértigo, el reposo armónico que él persigue en el fondo. Lo que ni sus amigos pueden, lo puede ella, sin esfuerzos mayores. . .

Su sensibilidad se traduce en unos sonetos que ahora escribe, lejanos esbozos de un libro suyo que le dará lugar cimero en el consenso de la opinión ibérica más tarde. Con el aliento apretado le lee los primeros versos. Pasean juntos. La felicidad parece instalada de modo definitivo en la vida del poeta.

Mas el dominio de su inquietud terrible le desquicia un día el sosiego. Pertenece al número de aquellos con un tropel de premura andariega. Ni las siestas serranas, ni la atracción del paisaje, ni el amor siquiera, pueden contra esa chispa que en el pecho le amenaza izarlo hasta muy arriba. Ciertamente, Madrid le llama de nuevo; Madrid, que le sacará de la oscuridad para ceñirle con una claridad que hará memoria con su extraña y fugaz magnificencia.

Así, más confiante que ayer, emprende su segunda jornada.

# RETRATO

*Yo que llevo cubierta de montes la memoria*
*y de tierra vinícola la cara,*
*esta cara de surco articulado.*

¿Cómo será la imagen que se tendrá de él, esa imágen única que queda de un hombre, espiritual y física, imagen que trasciende también de su obra, como si de su aliento invisible se modelase una efigie más imperecedera todavía que la mortal y pasajera, puesto que se forjó en lo recóndito del pensamiento, del alma? Hay siempre una figura real y otra ideal de los artistas, y el contraste suele ser, a veces, doloroso. Mas, cuando una y otra forman una unidad indivisible, ¡qué profunda impresión atravesando el tiempo! El alma tiene su retrato ideal y el físico desaparece bajo su fuerza. Cuando van juntos, ¡qué hermoso ejemplo y qué prueba del rostro alimentado por la pujanza que desde abajo sube! ¿Imaginamos acaso a Unamuno joven, o a Machado, o a Miró, que desde siempre crearon con una madurez tal que han hecho olvidar sus horas juveniles? ¿Imaginaríamos acaso a Espronceda anciano, o a Bécquer, en el supuesto de que hubiesen vivido más? Para la composición del retrato se emplea el material de sensaciones que ellos mismos nos legaron con el ímpetu o la calma de sus hornos secretos.

Miguel Hernández tendrá siempre la edad que le otorgó su temperamento. Ningún evento aminoró nunca la inmutable juventud que trascendía de su rostro. Por más que le pesara, en ciertas ocasiones, algún sesgo de gravedad, un aire de gracia mitigará siempre sus penumbras. Río fresco casi siempre. Cara de luna llena.

Sus ojos son, sobre el árido paisaje de la piel arcillosa, dos fuentes azules bajo una frente orgullosa, protestativa. Ojos grandes, casi sobresalientes, que pasan del más infantil, expectante asombro, a la quietud melancólica de quien se acostumbró al monólogo, y que al entrecerrarse en la sonrisa concentra toda la satisfación transfigurada de su expresivo rostro. La nariz le creció un tanto respingada, para prever el susto de la risa siempre inminente. Las orejas se abren como abanicos para recibir su relámpago noble. Es esa risa ancha, que deja ver el maizal blanco de una dentadura perfecta y maciza, lo que da apogeo al bulbo redondo y deja en nosotros, vivo, su recuerdo de eterno adolescente. Los labios, al cerrarse, pasada la iluminación, fruncen sus veteaduras y todo vuelve al estado primario, original, terroso. Así es como lo vió Neruda, "con cara de patata recién sacada de la tierra".

La gente está ganada por ese centro de propulsión de la simpatía. Se ve en él la aspiración insaciable de expeler el flujo y reflujo de las esencias que guarda. Se le reflejan los estados de ánimo, son casi palpables los sentimientos. Los amigos se sienten conquistados en los primeros encuentros. Se le adivina la vitalidad y el encanto. Y hay, detrás de todo, una densidad concentrada, un temperamento difícil, explosivo, de tierra adentro, oscurecido.

Los adversarios, en cambio, sienten el rechazo. No necesitará decir una sola palabra para dejar sentada la repulsa. Le bastará sonreir, soltar en el aire grave la flor pura, la flor superior, orgullosa, conquistadora. Consigue el efecto esperado: fastidia. Arroja su melodía solar y rompe la atmósfera cargada. El contraste produce el efecto esperado. Tiene noción completa de ese poder, de la plenitud con que golpea. No es casual que cuando en una ocasión lo detiene la guardia civil, por indocumentado, él escriba en una carta: "Mi sonrisa debió irritarlos mucho". Es claro que debió irritarlos.

La franqueza era, por otra parte, su divisa mejor, su medalla sobresaliente. De ahí esa claridad a veces desconcertante de sus actitudes. No tiene una en la que pueda sospecharse siquiera segundas intenciones. Suele tener a menudo eso que los sensatos llaman imprudencia. Imprudencia en decir las cosas de frente, imprudencia en asumir conducta definida, inconfundible.

Completa su figura de estatura media, una vestimenta pobre. Así se lo ve, la mayor parte de las veces, con traje de pastor, pantalón de pana, chaqueta campesina. ¡Qué contraste. entonces, cuando aparece en Madrid vestido a lo "señorito", con chaleco oscuro y con la flagrante incorrección de la camisa sin cuello que delata su procedencia! Cómo no adivinar en el garbo de ese muchacho el origen rural, el gesto torpe del deshabituado a las ciudades. Así es que aparece a ratos con el zapato puesto, el único que tenía, y teniendo que usar al día siguiente la alpargata cómoda donde no hay necesidad de comprimir los huesos. No tendrá nunca otro aire que el quemado por el sol de los campos. Aire que le viene bien, y que le sienta.

Solamente más tarde, mucho más tarde —cuando la vida se cumplugo en permear su rostro con una fatiga enorme, fatiga de sufrimiento—, es cuando por única vez a lo largo de su itinerario, la consunción que hiere su espíritu, troca su gesto de júbilo por una máscara fantasmal de visajes destruídos. Mas, como su figura física se afana en persistir sólo con la plenitud con que se mostró siempre, no nos queda sino un dibujo de su estado de desagregación patética, el que Ricardo Fuentes le hiciera en una celda, esbozado a lápiz, demencial y pavoroso. Poco o nada queda ya de la frescura de antaño. Las cejas están arqueadas por la congoja, y surcos terribles hienden y deforman el rostro, como abiertos a machetazos. Los ojos miran agolpando toda la interrogación del mundo.

Es una dolorosa imagen de crepúsculo. Las nubes se concentrarán sobre su frente, comprimiendo las sienes, es ya en el momento en que al distenderse van a soltar el sudario sobre su rostro. Aun así, la energía espiritual está viva. Pueden leerse las muchas páginas desgarradas, cargadas de preguntas, que su portentosa expresividad transmite.

Entretanto son aquellos retratos, los de la brillantez fragosa, los que ponen una luna radiante en la imagen que de él nos queda. Aquí apenas los huesos están queriendo enseñar su geografía, en un escandaloso desafío. En aquéllos está todo el llamamiento, el imán atrayente, la trascendencia de su persona. Se descubre en ellos sus sondeos en lo recóndito, como quien perdido en una galería, avista ya la claridad de la salida.

La imagen de Hernández será siempre la de su obra: pujante y levantada hasta el fin, cualquiera sea el deterioro que su carne sufra, un rostro de pleno mediodía.

En sus días oriolanos, nadie se le asemeja. Está

lleno de la potencia asombrosa, y eso se ve. Pastor, deambula más que sigue, detrás de las majadas, la imaginación llena de algo que los demás no entienden. Y cuántas veces los animales se pierden, y él, sentado sobre una piedra, acumula sol sobre el rostro radiante. Su cuerpo, fiado al aire libre, se macera en salud brava, preparándose para tiempos más duros.

En él se percibe pronto la llama informe que va a desarrollarse; el menos prevenido puede pispar lo que se oculta en el muchacho inquieto. Mientras en otros la crisálida permanece escondida hasta el momento oportuno, en Hernández aflora como un nimbo atractivo que domina sus gestos. Tenía la expansividad de quien está demasiado cargado y necesita comunicar sus sensaciones. Hace amistades con facilidad. Quien lo haya tratado no podrá olvidarle. Además, su temperamento errátil que lo llevaba a todos los sitios, permite que casi todos sus paisanos le conozcan. Agitado e inestable, treme sacudido por la desatinada fuerza que precisa expandirse. Está envuelto en el exorcismo.

Era un ser nervioso y absorbente. Tenía el organismo sano, aunque algo quedó dañado para siempre: la cabeza. Conocemos el origen de esa lesión que no le abandonará nunca. En todos los períodos de su vida estarán presentes los dolores. Tanto sufría con ello, que puede recordarse con qué exaltación recomendaba —años después,— que se protegiera de cualquier golpe la cabeza de su niño. Fuera de eso, nada. Una esencial fuerza corporal agregaba a su imagen espiritual el complemento de un equilibrio físico admirable.

El viento y él son una misma cosa; se confunden, son una misma chispa. La excitación le tendrá en vilo, precipitándole en el vértigo, y siempre estará vinculado a una vitalidad de torbellino. La satisfacción que le aureola es la del que está pleno, dichoso de participar en las vastas activaciones de la vida. Va ungido de entusiasmo y magnificencia, porque su vocación es no parar, no detenerse hasta escanciar los jugos amargos y las ambrosías, todo a la vez, colocándose en el centro de la circulación vibrante. Tiene saturación de fertilidad. Está en su rostro la alegría feérica que es expansión de las satisfacciones creadoras. Todo le mana con profusión generosa. No se nota en él ese estado sombrío de los que están vacíos de ímpetu ascendente. Sabe que a su contacto las cosas cobrarán una volitiva animación, contagiadas de su energía fecunda. Va a conmover todo, a su paso, como un soplo.

Y lo dice:

"El día que sientas un gran viento sobre las casas de Cox, que se lleva las tejas, dí: ahí viene Miguel. Porque llegaré corriendo y voy a revolucionar con mi llegada cielos y tierras".

¡Premonición formidable!

# NUEVAMENTE MADRID

*Siento que un árbol sediento*
*llevo incorporado en mí.*

Miguel llegó a Madrid siete meses antes de que un gesto colectivo y heroico llenase de miedo, estupefacción y esperanza a la península: el levantamiento de los mineros de Asturias. En la bóveda española aparecía un sol que era aviso augurador de sucesos depuradores. La situación había mudado. El proletariado español, blanco de la miseria y del constante escamoteo, enderezaba su aspiración hacia lo que la burguesía no era ya capaz de darle; comenzaba a tener, de una vez y de veras, noción exacta de lo que hacía falta, de que la burguesía emprendiera las reformas profundas, socavando así los privilegios de los feudales y del clero, que al amparo de su tibieza y vacilaciones, se disponían a soltar el tigre negro de la "otra España", es decir, la inquisitorial y llena de escondrijos. Los mineros de Asturias dieron la advertencia y el aviso, advertencia certificada en la demostración de su braveza. Si la represión monstruosa de Gil Robles dejó correr sangre obrera en tierra angustiada y fértil, aquella sangre quedó allí como un palpitante bulbo grávido de premoniciones. No fué el levantamiento asturiano otra cosa que la concreción de un largo despertar democrático de las masas obreras y campesinas que, entre el enorme fárrago de discursos y palabras de los gobernantes incapaces de corroborar con hechos sus promesas y declaraciones, resolvían por sí mismas vindicar sus aspiraciones en el hirviente dínamo de una jornada de proporción histórica. Reprimida sin misericordia, la gesta de Asturias dió la medida de la vitalidad obrera. La reacción sintió que ya no le bastarían sus fuerzas internas para contener el oleaje y comenzó a gestar su connivencia con el fascismo extranjero. Tramábase así el socorro del vecindaje, lo que no hizo más que refregar los ánimos y la enardecida intimidad de las conciencias.

Ese año de 1934, año en que Miguel Hernández se reincorpora a Madrid, y por lo tanto al laberinto inquieto del caldeado clima político, sería un año de cuerdas tensas y ansiosas preparaciones, de grandes luchas democráticas. Éstas, con el prestigio de algunos trances victoriosos, objetivaban limpiar el cielo del asediante nublado de las fuerzas retrógradas. Gobiernos subían y caían. Para las elecciones que vendrían dos años despues, febrero de 1936, se constituiría el Frente Popular, concreción que iba a desorbitar a los enemigos. El año 35, sería el de las vacilaciones de los timoratos que, a desmedro de sus alardes izquierdistas y su barullera fraseología —además de su aparente comedimiento—, propendían a conciliar con la sombridez reaccionaria, antes de extirparla quitándole el sustentáculo material que la ensoberbecía. Sería un año de espabilamiento de las energías honradas.

En aquel mes de marzo de 1934, un inquietante clima de tensiones cívicas hacía de Madrid un colmenar de fervorosas experiencias. Se plantaban las primeras simientes que, intercambiándose pacientes llamas como signos de un mismo anhelo, anunciaban el florecimiento de una actitud trascendente, de un frente común que rompía la mansitud y el conformismo, preparando el gran gesto que al rostro ibérico correspondería en un próximo futuro. Fiándose apenas de sus propias energías, la clase trabajadora acaparaba sus dispersas substancias, hacía esfuerzos por apartar las piedras que podían contribuir a ahondar las diferencias que hervían en su seno, procuraba el lenguaje justo que convenía a la propia razón de su existencia, todo con la inteligencia de que solamente su unidad podría salvaguardarle de las amenazas, que eran muchas. Eso requería una enorme paciencia y un trabajo sin desmayos. El riesgo y el peligro duplicaban su fuego, dejaban tensa la atmósfera. El vigor de esos esfuerzos tocaba también a los intelectuales. Sus círculos sufrían el impacto, como una campana que vibra al estruendo de la campana adyacente en vuelo. Algunos poetas, Rafael Alberti entre ellos, a quien habrá que reconocerle siempre haber sido de los primeros que resueltamente ponía su pluma y su conducta al servicio de las nobles causas de su pueblo (su actuación en los días de la República de 1931, su revista *Octubre* de gallarda osadía, sus declaraciones de que a partir del 31 consideraba que su obra poética y su vida estaban "al servicio de la revolución española y del proletariado mundial", le conferían una autoridad imposible de retacear.), algunos poetas y escritores, entre quienes se contaban, además de Alberti, María Teresa León, Manuel Altolaguirre, Emilio Prados, Arconada, Concha Méndez, entre otros, hendían el aire con el vergajo de su esclarecido talento. Poco a poco hicieron crecer, entre sus colegas, la fe en un apostolado nuevo y la necesidad de estar atentos a las conmociones de la hora. A través de intensas discusiones se apiñaba el interés en torno de ese grupo que, pequeño al principio, acabó por ejercer una influencia inestimable. Como consecuencia de lo que acontecía en el ambiente cívico, un nuevo personaje se instaló en la mesa de la tertulia de los escritores: el pueblo. La realidad de España saltaba a los ojos y aquel que se substraía a su imán poderoso, o caía en posturas falsas o tenía que acabar vencido por la envolvente ola.

Cuando arriba Miguel Hernández, en marzo de 1934, a la metrópoli —apetente de la lucha agitada que pudiera ensancharle la visión de la vida—, la gran temperatura política española se le escapa de las manos. Se le escapará todavía por algún tiempo. Viene demasiado encerrado en sí mismo, con todos sus conflictos a cuestas, perdido sonambúlicamente en la ambición de sus proyectos, oculto en el bastidor de su embeleso, con escasa experiencia como para que se consumaran en él los impactos de mayor alcance, henchido por sus angustias y sus menesteres de joven en búsqueda. Era normal y tal vez necesario que así fuera. El aprendizaje tiene sus escalas necesarias; debía cumplirse en él la etapa de ascensión hacia sus propios ensueños, de modo que los hallazgos posteriores adquiriesen visos de rotura con un concepto de las cosas que ya no le sirviese de impedimento en su nueva conquista. Al comienzo andará descaminado, atento a las conquistas y a las pérdidas del movimiento anónimo de sus deseos, sin despojarse aún de las vivencias demasiado cercanas de su anterior itinerario. El caudal llevará por algún tiempo aderezos de su pasado, obstruyendo su libre curso. No se despojará tan pronto de los sonidos que trae consigo: está orgánicamente integrado a ellos y le costará afán y fatiga sobrepasarlos. En Miguel Hernández el esfuerzo de avanzar fué siempre doble, porque no consumó completamente el rompimiento con cuanto le precedía y que enconadamente continuó cercándole. Por eso mismo no vió de entrada lo que de más substancial y valedero el Madrid de ese momento podía ofrecerle.

Triunfar en la gran ciudad es su propósito, trabar una atrevida lucha para sobresalir, revelando su tesoro. No sospechó al comienzo cuánto le costaría integrarse a esa ciudad que, en secreto, amaba. La primera experiencia en ella había resultado frustrada, mas su hechizo le había acompañado hasta el punto de hacerlo retornar. Aunque jamás superó por completo el recóndito desdén por la vida febril que emana de sus bullicios, desdén torpe y provinciano, intuía sin embargo que sólo allí tendrían espacio y aliciente sus proyectos. Y como traía consigo la desconfianza y la timidez que su introspección alimentaba, no le fué fácil ver lo que más tarde le deslumbraría. Le preocupa hacerse conocer, por ahora; confía para eso en el auto sacramental que trae y en la credencial de su *Perito en lunas*. Y como se cae siempre en el círculo acorde a la sensibilidad que se tiene, a las ideas que se abrigan, las puertas de *Cruz y Raya*, la revista católica, se le abren pronto. Era justo que así ocurriese. *Quien te ha visto y quien te ve*, cuyo nombre era el de su obra, merecía la atención de José Bergamín, su director, a cuya mirada zahorí no podía escapar el legítimo valer de su talento en cierne. La sorpresa fué legítima. Se veía la gota pura, el ansia de perfección encauzada, la abundante expectación y el asombro intercalados en medio de brillantes y consumadas imágenes de inequívoco lustre.

Ciertamente, entraba en el ambiente con pie firme. Vive por un tiempo con la idea de poder estrenar su obra, idea que le procuró también la ilusión de poder ir viviendo de ella. Pronto la cuestión quedó olvidada, no antes de que abrigara la esperanza de traer a Josefina a Madrid, a la que haría venir con una hermana, si la compañía del teatro Eslava, a la que hizo conocer el auto, se aviniese a estrenarlo. Pero la obra fué rechazada. Comenzó a ver la dura cara de las cosas.

Fueron tristes sus primeros meses en Madrid, a

pesar de que la publicación en *Cruz y Raya* le abrió la notoriedad de un público minoritario. Pero no era joven de conformarse con medias tintas. Sencillamente no se acostumbra con las largas esperas y se desarregla en el afán de arreglarlo todo con premura. Vive en una pensión, cuya pobreza magnifica y comenta exageradamente porque se siente solo y porque, teniendo fe en sus valores y confianza total en su talento, supone que no se le aprecia lo suficiente. Por otro lado, le bastan las primeras observaciones para verificar que no todo en el mundo literario se resuelve por ley de merecimiento, y ve la falsa popularidad y lo que hay de insincero en la sobresalencia de algunos. Toda la imagen pura que tenía de la vida intelectual —tan absolutamente creyente (incapaz como estaba de pensar que entre bastidores también suelen tramarse los prestigios efímeros), sin malicias ni disimulo— se le resquebrajó poco a poco. Y como no se despegó del limbo que inicialmente trajo consigo, un amasijo de ira y desconcierto fué el saldo de sus comprobaciones acongojadoras. Además, la herida que produjo el choque, choque inevitable y necesario, le hizo vivir pendiente de la alforja de vivencias que traía: la tierra natal, el grupo de amigos y, sobre todo, el amor que dejaba un color de llanto en sus crepúsculos. Tiene pocos amigos. Visita siempre a Concha Albornoz y ha de esperar todavía algunos meses para el hallazgo de la segunda decisiva amistad de su vida. (¿De qué vive mientras tanto? ¿Cuáles fueron las ocupaciones de Miguel durante el año 34? ¿Estaba instalado ya en la misma pensión de la calle de los Caños nº 6, en donde lo encontraremos por el mes de abril de 1935? ¿Hasta cuándo le sirvieron las 200 pesetas que, según se dijo, recibió de *Cruz y Raya*? ¿Las recibió verdaderamente?) En Orihuela sus amigos viven pendientes de su suerte; tanto les ha entusiasmado sus primeros éxitos que ya Ramón Sijé diserta sobre su libro, y su primo, Antonio Gilabert, recita en el salón Novedades, sus poemas.

La mascota del grupo se aureola con los primeros prestigios y sus ecos llegan a alegrar sinceramente a quienes confían de veras en él. Mayor aún es la dicha de Ramón Sijé, que tiene a *Cruz y Raya* por segura guía. Miguel es su mayor esperanza y se tranquiliza al saber que no anda por malas vías, pues una secreta aprensión se apoderó de él al principio en relación con lo que podía acontecerle en Madrid, conociendo su exaltado temperamento. Sabía que la ciudad iba a operar en él un cambio radical; vivió pendiente de sus noticias. Su inquietud se calmó cuando supo que Bergamín protegía al muchacho. Lo que Sijé, ¡ay!, no suponía, es que esa celosa vigilancia iba a tornarse pronto coacción angustiosa, al primer presentimiento de que el discípulo estaba a punto de tomar otros caminos, en el afán labriego de cultivarse sin limitaciones. Ambos iban a sufrir llegado el momento. Estaban unidos, al fin, por algo más que el simple contacto advenedizo. ¿Cómo seguirle paso a paso desde la distancia?

La correspondencia de Miguel desvanecía todas las aprensiones iniciales. Nada había mudado en él, a juzgar por lo que se traducía en su estado de ánimo; continuaba al parecer compungido por haber perdido la calma y el sosiego de provincias, incómodo en el dinamismo multifacético del trajín ciudadano, inmerso en su nostalgia, hambriento del retiro roquero y montaraz que parecía faltarle. Seguía solicitando la voz consoladora de Josefina. En fin, seguía patinando en el vértigo sin hallarse.

Sentimientos contradictorios, en verdad, le minaban. Si por un lado sabe que en Madrid puede sobrepasarse a sí mismo, agitarse y trascender, por el otro le llaman sus antiguas raíces. Este conflicto está en pleno desarrollo. Aquí palpita lo que quiere conquistar, allá lo que no fué olvidado; aquí el contacto con lo más viviente; lejos, lo que precipita su corazón en la añoranza. El recuerdo de los días de amor no se extingue; continúa asaltándole con su atmósfera de codicia y de bonanza, se le extiende ante los ojos como un mundo fértil y natural en el que se asienta la felicidad sosegada. Cuando regresa a su cuarto y se enfrenta con sus silencios y el retrato de la amada, la perplejidad le encamina al desconcierto. La impaciencia es parte de sus gestos y ninguna distracción le aparta por completo de su idea fija. Así es que, para calmarse de una vez, el 27 de septiembre de 1934, antes de acabar el año, formaliza su noviazgo. Ahora sí puede dormir en calma. ¿Hasta cuándo? Hasta que otra vez se desboque su tormenta.

Un mes después, todavía, Asturias intercala en

los sucesos de esos meses, un color de heroísmo que jamás podrá olvidarse. Miguel, que sigue sin escapar de sus propios latidos, participa grave y anonadado en las nerviosas discusiones que el levantamiento de Asturias desata por donde vaya. Sus raíces comienzan a moverse y a desperezarse, inoculándole los retoños primeros de la rebeldía que pronto le pondrá definitivamente en vilo. Su pleamar se gesta en lentas preparaciones.

Regresa de Orihuela, en donde ha ido a ver a Josefina y sus amigos, y ya reincorporado a Madrid, frecuenta aún más los grupos de escritores entre quienes inevitablemente acaba sus atardeceres.

En esas tertulias, su don de observación le procuraba goces taciturnos. Hombres de distintas capas sociales desfilaban ante sus ojos; distinguió que entre tantos artistas de legítimo valer, también los había triviales, advenedizos y, sobre todo, que no siempre la aparente circunspección era signo de probidad. Así como le tocó pulsar la ancha generosidad, así también percibió la napa de mezquindad y de egoísmo que sustentaba ese mundo. Alguna vez dejó traslucir esa conclusión en sus cartas. Fué ganando intensidad y visión segura de las cosas, experiencias íntimas, inapreciables adquisiciones. No consiguió nunca ese gesto de mesura con que otros, hipócritamente, silencian sus reacciones ante las enervantes bajezas humanas. De ahí sus explosiones coléricas, sus improperios apasionados. Con su temperamento a flor de piel, se desmandaba de modo temerario. Por eso también había los que le recelaban.

En casa de Pablo Neruda encuentra la palpitante camaradería, la que más hondamente le toca. Allí la predisposición bondadosa, la autoridad del espíritu que ondea, alada y tierna, estimulando a quienes comienzan. El chileno, vencedor y maduro, le brindó el calor que necesitaba, los abrigos esenciales que jamás se olvidan. Neruda, con zahoríes ojos dormidos, vió lo que traía de luz viviente y mensaje, vió en él la saludable euforia, la desbordante elevación que la timidez apaciguaba.

La historia de este encuentro es piedra angular en la historia de la formación de Miguel Hernández, historia de fidelidad ejemplar y de hermosas fraternidades. Hasta entonces Miguel había estado apenas en la superficie del entrevero; en casa de Neruda iba a conocer al mismo corazón de la inteligencia española, pues el gran poeta chileno era centro actuante en medio de las circulaciones.

En momento oportuno se conocieron. Neruda estaba en plena conjuración de misterios poéticos, en solitaria masticación de enormes dolores, en dramática pesquisa de subyacentes alaridos que le encaminaban hacia el propio temblor de los grandes enigmas, con sentidos que volvían táctiles los aromas y perfumados los más inmóviles minerales, todo con un gran desorden forajido, genial, desconcertante. El joven Hernández, deslumbrado en una tradición de simetría, henchía las aristas clásicas con su incontenible turbulencia. El encuentro debió ser revelador para ambos. Para Neruda, por encontrarse ante tamaña fuerza adolescente cruzada por desconciertos místicos; para Miguel, que descubría en el americano una energía torrencial al cual podía arrimarse como a un árbol.

Miguel ha hecho amistad también con Rafael Alberti, con María Teresa León, con Luis Cernuda, con Aleixandre, con Cossío. En años anteriores, había conocido ya a Federico García Lorca, como hemos visto. Pronto Miguel sobrecogió a todos con los sonetos que a la sazón gestaba. *El rayo que no cesa* iba creciendo por esos meses. Neruda lo estimulaba. Delia del Carril le dió el calor tibio de su noble alma. Miguel, en esa casa se sintió como en la suya. En el homenaje escrito de los poetas españoles a Neruda, en ocasión de la publicación de sus *Tres cantos materiales*, figura también Miguel Hernández. A través de ambos, la amistad pura recobraba sus dinastías.

Neruda cuenta aquel encuentro: "En un fuerte verano seco de Madrid, del Madrid anterior a la guerra, me encontré por primera vez con Miguel Hernández. Lo ví de inmediato como parte dura y permanente de nuestra gran poesía. Siempre pensé que a él correspondería, alguna vez, decir junto a mis huesos algunas de sus violentas y profundas palabras.

En aquellos días secos de Madrid llegaba hasta mi casa cada día, a conversarme de sus recuerdos y de sus futuros, llegaba a mostrarme el fuego constante de su poesía que lo iba quemando por dentro hasta hacer madurar sus frutos más secretos, hasta hacerle derramar estrellas y centellas".

Hernández, por su lado, lleno de gratitud le dedica una *Oda entre sangre y vino a Pablo Neruda*":

> De corazón cargado, no de espaldas,
> con una comitiva de sonrisas
> llegas entre apariencias de oceano
> que ha perdido sus olas y sus peces
> a fuerza de entregarlos a la red y a la playa.

Y a Delia del Carril:

> No encontraréis a Delia sino muy repartida como el pan de los pobres
> detrás de una ventana besable: su sonrisa...

También, por aquel entonces, solicita a Vicente Aleixandre un ejemplar de *La destrucción o el Amor,* que salía de las prensas. Se lo remite y lo invita a visitarlo. También allí encontrará Hernández una calurosa acogida. Aleixandre pasa a ser, pronto, con Neruda, algo así como su ángel custodio. *Oda entre arena y piedra a Vicente Aleixandre* se titula el poema que le dedica, del mismo tono que el ofrendado a Delia y a Neruda.

Entre el placer de esos hallazgos de amistad radiante, Miguel continúa en conflicto. La desconcertante carátula dramática, agazapada en su alma, no era óbice sin embargo para la explosión constante de una intensa alegría de vivir, delirante en sus gestos. Tenía un temperamento travieso, propenso a la exultación sin reticencias, a la flamante risa. No violentaba su talante de muchacho expansivo; no le ponía aderezos de gravedad postiza. Se le transparentaba la individualidad insurgente y expansiva. Un muchacho jocundo y pleno.

¡Curioso! Como son múltiples los avatares del hombre asediado por las vivencias secretas, infinita es también la versatilidad de quien debe acompañar la mutación de las cosas; y nada es tan imprudente como suponer que la grave combustión espiritual priva al ánimo de la constante capacidad de asombro, piedra de toque de la dicha y la alegría de vivir. En la hora de creación puede ser desgarrado por el extravío melancólico; no siempre, por eso, la cuerda tensa ha de mantenerse en emisión de notas tristes. En el alma hay también un rosado amanecer como en los días. Podía Miguel Hernández sangrar la frente en los minutos de transportación y batalla demiúrgica, podía conversar, en el silencio, con su "sino sangriento", podía lidiar con la fatalidad en sus hornos interiores, mas también salía a pleno sol y entonces ¡qué soltura y ritmo alado! Equivocado es imaginarle, por la influencia de su obra, sañudo y grave.

También tenía sus ráfagas oscuras. A pesar de la jovialidad que abría sus flores en su rostro, cierta formalidad hacía ver su procedencia campesina. Por momentos parecía un rostro taciturno. Contemplaba las cosas desde su mirador de ensimismamiento y no pocas veces con salidas intemperantes. Complejo temperamento. Mas el gesto sombrío no excusaba el desplante alegre con que enseñaba un signo de salud, su menester de expansiones. Erigía su fe en la superabundancia de la vida, como un himno necesario e imprescindible con que completarse en la marcha. Su melancolía no obstaba la explosión de la otra cara de la medalla: el entusiasmo, entusismo en el que se completaba para trazar la unidad superior y feliz de su modo de ser. Su plenitud era producto de las contradictorias lámparas que se hacían guiños en los meandros de su alma, interceptándose simultáneamente el resplandor, en pugna por la prevalecencia de sus colores. No era extraño verlo una noche lleno de alegría y, en la siguiente, con los ojos sombríos como acabados de perturbarse en un sótano; apasionarse, por ejemplo, de alguien sin prestar oídos a ninguna advertencia o bien predisponerse al rechazo frente a otros de acuerdo y conformidad a su estado de ánimo. ¡Difícil poeta!

Apenas despojado del embarazo que parecía envolverle en las reuniones, paseando por las calles de Madrid con los más íntimos, o simplemente en las tertulias más familiares, como librándose a cierta altura de algo que le constreñía, como elevado por un soplo vivificante, se tornaba relampagueante y travieso, embriagado de buen humor y poesía. Neruda continúa contando: "Había recién dejado de ser pastor de cabras en Orihuela y venía todo perfumado por el azahar, por la tierra y por el estiércol. Se le derramaba la poesía como de las ubres demasiado llenas cae a gotas la leche. Me contaba que en las largas siestas de su pastoreo ponía el oído sobre el vientre de las cabras paridas y me decía cómo podía escucharse el rumor de la leche que llegaba de las tetas, y andando conmigo por las noches de Madrid, con agilidad increíble, se subía a los árboles, pasando con rapidez de los troncos a las ramas, para silbar desde las hojas más altas, imitando para mí el canto del ruiseñor. El canto de los ruiseñores levantinos, sus torres de sonidos levantados entre la oscuridad y los azahares, eran recuerdo obsesivo, apretado a sus orejas, eran parte del material de su sangre, de su alma de barro y de sonido, de su poesía terrenal y silvestre, en la que se juntan todos los excesos del color, del perfume y del sonido del levante español, con la abundancia y fragancia de una poderosa y masculina juventud.

Su rostro era el rostro de España. Cortado por la luz, arrugado como una sementera, con algo rotundo de pan y de tierra. Sus ojos quemantes eran, dentro de esa superficie quemada y endurecida al viento, como dos rayos de fuerza y de ternura".

Neruda hizo todo para que quedara definitivamente en Madrid. El Vizconte de Mamblas, Jefe de Relaciones Culturales en el Ministerio de Estado, le comunicó que ya tenía un puesto para Miguel. Cuando Neruda le transmitió eso, regocijado, Hernández le respondió: "¿No me podrían dar un rebaño de cabras cerca de Madrid?"

Sus dificultades económicas se han agravado. Todas sus ilusiones de vivir de su obra han caído por tierra. En la pensión de la calle de los Caños, en donde se le ubica por el mes de abril, la situación se torna difícil, y no hay alteración que indique una solución apropiada. No se decide, además, a tomar cualquier cosa, pues sabe que eso significa perder la libertad que tiene para crear. Que en eso anda. Está con grandes proyectos. El teatro le sigue tentando, paralelamente a la labor poética que emprende. En esa ocasión Cossío le da la mano ofreciéndole un puesto como secretario suyo en Espasa-Calpe y hace todo para facilitarle la tarea. Miguel acepta y los cincuenta duros que recibe le sirven para calmar su afligente estado. Hace biografías de toreros, asunto que le agrada y le impide acabar desvaído en la rutina oficinesca. Eso también le posibilita algunas breves incursiones por el interior de España en busca de datos. Por lo menos es eso lo que comunica alegremente a Josefina.

La urbe comienza a ganarle; sus cartas se llenan de un tono satisfecho. Algo nuevo está ocurriendo en su vida. Raúl González Tuñón y Amparo Mon han llegado a España. Pronto traban conocimiento. Comienza el ciclo de las grandes y fuertes discusiones políticas. Raúl González Tuñón le estimula y le insta a dejar acabado su drama *Los hijos de la piedra*, prometiéndole que ha de hacer todo para que se estrene en Buenos Aires. Efectivamente, cuando regresa a América en ese mismo año, trae consigo los originales. Años después será estrenado por el Teatro del Pueblo.

Se va aclarando su horizonte. El año 35, antes de acabar, le depara dos acontecimientos de importancia, uno feliz y otro desventurado. Sijé muere en Orihuela en pleno apogeo de su talento y Miguel queda atónito para la noticia. Por otro lado, su libro *El rayo que no cesa* está concluído. Entre esta dicha y aquella pena, escribe todavía el 10 de enero de 1936 la "Elegía" hermosísima con que traduce su hondo dolor por la muerte del amigo.

> Quiero escarbar la tierra con los dientes,
> quiero apartar la tierra parte a parte
> a dentelladas secas y calientes.
> Quiero minar la tierra hasta encontrarte
> y besarte la noble calavera
> y desamordazarte y regresarte.

"Lo más hondo y mejor que he hecho", escribe a Carlos Fenoll. Y es cierto.

Entrega los originales del libro a Manuel Altolaguirre y Concha Méndez, quienes lo imprimen en el mismo mes de enero. Entretando la *Revista de Occidente* da un adelanto de seis sonetos y la "Elegía" a Sijé, adelanto que, como se sabe, impresionó vivamente a Juan Ramón Jiménez que el 23 de febrero escribía en *El Sol* lo siguiente: "En el último número de la *Revista de Occidente* publica Miguel Hernández, el extraordinario muchacho de Orihuela, una loca elegía a la muerte de su Ramón Sijé y seis sonetos desconcertantes. Todos los amigos de la "poesía pura" deben buscar y leer estos poemas vivos. Tienen su empaque quevedesco, es verdad, su herencia castiza. Pero la áspera belleza tremenda de su corazón arraigado rompe el paquete y se desborda, como elemental naturaleza desnuda. Esto es lo excepcional poético, y ¡quién pudiera exaltarlo con tanta claridad todos los días!"

El rayo, pues, respiraba triunfante.

# EL RAYO QUE NO CESA

*¿No cesará este rayo que me habita*
*el corazón de exasperadas fieras?*

El tráfago de la vida en Madrid, no le apagó la soledad, ingente y oscura, que turbadoramente le aprisionaba. En medio de todo, conservó siempre el retiro creador que le haría madurar sus bellos frutos. Ni lo que a su alrededor ocurría, ni lo que había de quehacer y fatiga en su persona, pudieron distraer el movimiento de anónimo sonido con que se tejía la urdimbre de su obra. Ésta, como una marea vasta y agitada fué creciendo con la natural incertidumbre con que suele levantarse en sus comienzos hasta lograr la consumación esperada.

Los días tenían una hora en que Miguel se sentía triste hasta las lágrimas: la del crepúsculo que al desteñir el mundo le cubría con su abatimiento. En una carta de octubre de 1935 a Carmen Conde y a Antonio Oliver, los amigos de Cartagena, lo dice: "La mía [su vida] está ocupada por toda la melancolía del otoño, sobre todo al crepúsculo". Triste palidez ésa del crepúsculo, a cuyo embrujo la sangre se desacata y oprime, evidenciando su fragilidad al suprimirse el día. Como muchos otros, él sentía esa pesadísima carga y por eso mismo salía siempre a la calle antes que la sordidez del momento le avasallase; salía a buscar a los amigos, con esos "ojos tristes de caballo perdido" con que Alberti lo veía. Era la hora de sus apariciones, en procura de la atenuación de la pena profunda. Y se colige de sus cartas la presencia de esa fría y huérfana sombra que ocupaba su habitación a esa hora, con sus inacabables silencios.

Comenzó a saber —qué pronto para saberlo— que el escribir es oficio turbador y terrible, aparejando consigo las transpiraciones jadeantes y los desorbitados pánicos. Por eso mismo cuando Justino Marín, el otro Sijé, le envía unos poemas, Miguel le aconseja no seguir su camino "porque son muchas las penas que cuesta escribir con sangre y muchas muertes". Conciencia tenía, de los peligros de la vertiginosa carrera. Parecida honradez la suya al del ínclito

Darío,que en trance también de desnudarse el alma, como solía desnudarse, exclamó sin embages: "Yo no aconsejo a la juventud de mi patria que se dedique a las tareas de las Artes. Esas cosas no se aconsejan... ¡Que el que nazca con su brasa en el pecho sufra eternamente la quemadura!"

Bien sufría también Miguel Hernández esas quemaduras. Hacía meses que venía acometiendo la empresa de aprisionar en la frágil cárcel de un pequeño libro sus turbulencias todas, en "labor de huracán, amor o infierno" como él mismo la denominó. Obedeciendo a la única razón atendible, a una aspiración entrañable de dar rienda suelta a los sobresaltos de su sangre, intentaba —por medio de la creación— poner remedio a sus heridas. Y como no era joven de apetencias exiguas, se lanzó al laberinto con el riesgo del pecho abierto y el pulso furibundo, de tal modo que al borde de la pendiente adivinó ya lo que le esperaba. Con postura de desafío arrastraría el visionario peso de las cosas. El sobrecogimiento inicial que da validez al intento se le dió en seguida, sin retrasos, de modo que no se perdiera nada del grito que iba a proferir en el comienzo. Para eso, se le dió viabilidad al campo de los tres símbolos esenciales, en cuyos rincones medrosos no se puede ya abdicar ni desfallecer: la Muerte, que es término y penumbra de nuestra disputa con lo efímero; la Sangre, que al conferirnos latencia nos hace sentir sus picaduras y sus arranques durante la jornada; el Toro, símbolo varonil en su poesía, ímpetu fecundador en el avatar de la especie. Acaso lo más importante sea que tan temprano haya encontrado esos símbolos, claves y salvoconductos para otros. Es que desde hacía rato se estaban madurando en él los grandes pensamientos. En la época más rica de su formación, los mayores de la literatura española le señalaron el camino difícil, como hemos observado. Al comienzo, sólo inspeccionó esos lugares de esplendidez que le mostraban, luego los dominó y asentó en ellos su fortaleza y su señorío. Perseveró en el aprendizaje, y cuando se creyó listo para ahondarse en su ensimismamiento y troquelar su música, estará dueño de lo esencial e imprescindible. Al contacto con esos mayores no solamente se le tornaron claras las dificultades, sino que se empapó de antiguos quejidos y dolores que se asemejaban a los suyos, pues que eran quejidos y dolores de idéntico apetito de vida plena. En los versos de esos grandes nada fué dejado al acaso, sombras y claridades habían sido domeñadas, labradas con angustiosa simetría. Así aprendió el dominio de las formas y así también, al prorrumpir su llamado, pudo canalizarlas para que no se perdieran las avulsiones que traía. Revelación de su inaugural dominio.

*El rayo que no cesa* no nació de una intención preconcebida, sino del intento por traducir lo que intensamente ocupaba su vida en esos meses; y lo que en esencia ocupaba su vida, sosteniendo sus fervores, era el arrebatado sentimiento amoroso que daba mayor tamaño a su existencia, ocupándola casi por entero. Porque cuanto hemos visto hasta aquí: las fervientes eclosiones sociales que le rodeaban, la vivificante influencia de los nuevos amigos, los trajines penosos que le exigían el sustento diario, el ir y venir sin interrupciones por la ciudad agitada; todo eso que contribuye a dispersar el ánimo y a modificar cuanto creció con uno, no mellaron su disposición de fidelidad ante la muchacha amada que, desde una luminosa distancia, le tironeaba con el recuerdo. "El rayo", arcilla abrumada de Amor y de Angustia, nació al calor de una evocación atormentada y confusa de ese ser que lo imantaba.

Y todo lo demás, aprensiones, iras, sentimientos encontrados, agudas sensaciones de muerte y de derrota, derivaron de ese tormento. La cardinal puntuación para lo que escribía le llegaba de allá, y por más que intentase eludir el invisible duelo, duelo hondo que lo lesionaba, toda su alma acabó ocupada por la costumbre del asalto y el retroceso, de las claudicaciones y las victorias. No le restaba otra cosa que abrir el grifo caudaloso. Sólo desahogándose quedaría libre para otros emprendimientos.

En el momento en que Miguel Hernández encontró el amor, se sintió acechado por los tirones y los avisos de un hombre único, de un misterioso caballero cuyo aliento le quemaba el rostro. El encuentro con este caballero es decisivo, porque esgrime no sólo palabras terribles, sino signos renegridos desde la noche en que habita. Le va a enseñar el gran truco de jugar con la vida, es decir, de afiebrarse sin saciedad y sin consuelo en una visión agónica de la circulación y el movimiento, porque este señor es de los primeros que ve lo que germina en la ceniza y lo que de moribundo lleva ya una hoguera. Así tenía que ser. El caballero don Francisco de Quevedo y Villegas, va a revolverle la fuente y a calibrarle la voz en la ejercitación del misterio. Años atrás, cuando todavía buscaba la entonación demiúrgica que le correspondiera, mientras Góngora le conducía de la mano para mostrarle lo delirante e inverosímil que tiene el idioma que estaba empleando, el ojo temerario de Quevedo, girando en una voluta de magia incierta, le inducía a una más recogida inmersión en aguas enigmáticas; ahora es el que le hace temblar y desgastarse en el límite en que se formulan las preguntas desasosegadoras. Trayéndolo a su presencia, Quevedo le intima a mirar de frente el lado muriente de las cosas, en donde las nieblas se entrecruzan, persuadiéndole de que el amor (que es nacimiento) y la muerte (que es la semilla que cae para germinar de nuevo) no son sino categorías de una misma cosecha. Hombre sabio y de meditaciones tremendas, Quevedo. No podría encontrar mejor consejero quien se enfrentaba a una borrasca. ¡Qué terribles cosas le murmura al oído! Y lo notable es que lo que no es fácil de entender en una edad en que todavía se da viabilidad al engañoso color de las apariencias, esas grandes verdades que con crueldad le revelaba Quevedo, caen en el alma del muchacho campestre, preparado al parecer con antelación para la sabiduría. Quevedo le trae el frenesí angustioso a través del cual o se enmudece o se triunfa, o se paraliza o se interroga. Mas el joven español Hernández tiene en la sangre el material de preparaciones que se requiere para encararse con la Muerte, con la Fatalidad, con el Amor. Tiene en los ojos el germen de la lucidez para los atrevimientos en zonas penumbrosas. Y como está enamorado, enamorado de un modo extraño y trascendente como sólo lo consiguen los de pulso en creación y disturbio, su corazón es cauce para la excelsa metamorfosis.

Así ocurre. La vida en Madrid —rica de comunicaciones, de tertulias fragantes— es piedra inicial de su definitivo crecimiento. Si benéficas son las influencias que recibe, sometidas han de ser todas ellas al crisol particular de su temperamento, a su visión propia de cuanto le circuye, y que iban, al calor de esos contactos, aumentando y desenvolviéndose. Todo cuanto escriba, de ahora en adelante, tendrá un cuño inconfundible. ¿Por qué? Porque ha descubierto la postura que no engaña: cantar con el oído puesto sobre lo que en su pecho se desencadena. Al entroncarse con Quevedo, se obliga al movimiento ardiente, al empleo de los ecos flagelados que tiene la noche como material de embrujo para conjurar a la agonía y lapidarse con el carbón de los augurios consternadores, malos augurios con los que se pone la máscara de hombre desdichado y tasa en sombras los respiros puros de su adolescencia. Ahora sí, descubierto el empleo de las llaves, propalará sus claroscuros henchidos de juventud. ¡Momento hermoso el del encuentro del poeta con su propia voz, sin artilugios ni desvíos!

Elige el soneto como forma, porque —intuición de los riesgos que corre— quiere poner bridas al caudal de sus pasiones y contener la trepidación de su sangre. Así es que se lanza al camino con las antenas alertas contra el peligro del desbordamiento.

Hacía meses que venía Miguel Hernández marcando mojones en el transcurso de su viaje amoroso; con eficaz cuidado planta los cimientos de su requirente quejido en unos sonetos titulados "Imagen de tu huella", todavía bosquejo de la abrupción siguiente, toma de aliento para el bramido, ajuste de clavijas previo a la melodía. Tiene la prudencia de guardar esos balbuceos en la caja de oro de la espera. Sufrirán la lenta metamorfosis en la que el esfuerzo fructifica en realización exacta. Abrigaba el propósito bello de transmitir cuanto le conmovía, y dispuesto a afrontar todas las exigencias que eso mismo requería. Vencer la prisa fué la primera resolución cautelosa, e hizo bien, pues la prisa amenazaría siempre traicionarlo. Riesgo del que debía prevenirse. Le dió resultado esa callada espera. Pronto expurgó esos versos de hojas sobrantes que no respondían ya a su crecimiento. Aumentado el caudal, eligió un nuevo título, *El silbo vulnerado,* mas se guardó a su vez de darlo por concluído. Pacientemente, aunque con el apremio propio de la edad, siguió acogiéndose a las leyes del rigor y, cuando finalmente ya no le importunaban las adherencias y las luces excesivas, se encontró con el volumen aumentado y con un nuevo nombre, el definitivo: *El rayo que no cesa*.- Era sólo entregarlo ahora. Cuando apareció, el éxito fué unánime. Hacía rato que no se escuchaba una voz con semejante carga de tensiones.

Un carnívoro cuchillo
de ala dulce y homicida
sostiene un vuelo y un brillo
alrededor de mi vida.

Le había llegado el instante del rugido de la sangre, que fuertemente le sopla y le conmina a articular palabras donde se adivine su golpe ronco y vindicativo. Para la visión hernandiana, en la sangre está concentrada la cepa dramática de la vida, en ella se halla el centro donde la especie encuentra su redención y su calvario; la sangre es quien delira, soberbia y solitaria, por debajo de todo, la que ruge en su circulación trascendente. Es la sangre la que empuña la verdad y el fraude de la vida, con su pan genitor que alimenta y avasalla. A su paso se desarticulan los débiles; la sangre dicta la conducta y engendra también, con sus magníficos asaltos, la fatalidad y la muerte. El tema de la sangre que le enardece y satura con sus violentos tirones, que le preña la boca de terribles suspiros, que le condena y absuelve, que le arroja a un destino de cólera bravía, se repetirá a través de su obra. El rayo no es otra cosa que la expresión de los fragores inverosímiles que se le ramifican en la sangre; rayo que no depone su insistente flagelo, expandiendo por su cuerpo su temerario estallido y cuya presencia no puede eludir porque está en el origen de su propia inquietud y su propio tormento.

Este rayo ni cesa ni se agota;
de mí mismo tomó su procedencia
y ejercita en mí mismo sus furores.

Esta obstinada piedra de mí brota
y sobre mí dirige la insistencia
de sus lluviosos rayos destructores.

El acometimiento de ese rayo —látigo furibundo que le enllaga por dentro— le hace sentir el cuerpo siempre en trance de nacimiento, como si la obstinación de sus golpes le inaugurasen todos los días. El amor, "rayo que no cesa" también, ese íntimo sentimiento en vibración y acoso, gajo de música en rapto venturoso, le mantiene en estado de madrugador impulso.

> Todo el cuerpo me huele a reciénhecho
> por el jugoso fuego que lo inflama.

Afirma, en su fogoso requiebro, que si la sangre encaneciera, como el cabello, con el tiempo y el dolor, la suya sería ya "pálida hasta el temor y hasta el destello". Deja sentado que aun antes de nacer, la fatalidad le marcó con sus herraduras negras. Es el "carnívoro cuchillo", el "rayo de metal crispado" que le solivianta las raíces y mantiene su dictamen desde tiempos inmemoriales en su destino. Las premoniciones se entrecruzan paladeando sus nocturnas gotas. El poeta se siente marcado por el signo de las desventuras que están en el origen de su vida. Desaliento y opresión accionan con vestimentas de vejez y lágrima. El llanto, el llanto viril que le empaña los ojos, es de siempre; parece ser que desde tiempos remotos contempló el existir a través del llanto, de sus inundaciones. ¡Qué tristes ojos para mirar! ¡Oh, descorazonadora estrella! Es la "mala luna" que signó su día primero, la "mala luna" al comienzo, y durante el trayecto los avisos del sitio que espera su caída, maderas que crecieron para refugiar sus despojos, las mortajas que han de recibirle, la tierra que "desde la eternidad está dispuesta a recibir su adiós definitivo". ¡Pavorosa visión de desamparo! Este miraje le quemará por siempre los ojos. Así se va viendo a sí mismo, zarandeado por el aluvión, las tempestades, los sacudimientos, los elementos todos de la fuerza letal que maneja su sino, un rayo abandonado que trepida en la noche.

Su estrella gira alrededor del Eterno Femenino, centro esquivo que elude, consintiendo por lo bajo, su requerimiento amoroso. Inmemorial conflicto. Vano asalto del valladar fragante, que se le escapará siempre. Ha de quedar desamparado en la estancia del Amor, porque lleva "cardos y penas por corona", fatiga obstinada por hacer cumplir una promesa, de importunar con sus llamados roncos, de no dar tregua a su apetencia; fatiga de naufragar en los negros presagios, fatiga, en fin, de fatigarse tanto. El Eterno Femenino le ha imantado y allí, en su piedra de toque, se estrellan sus desmanes ciegos.

Una revolución dentro de un hueso,
un rayo soy sujeto a una redoma.

Como una acústica negra que pesa sobre una cadena de ecos agavillados por la sangre, así pesan sobre sus páginas las alas de la Fatalidad. Las ideas —las del amor, las de la muerte— se deslizan abismadas en la aflicción y en las reverberaciones sombrías. Los sentimientos no logran quietud, sosiego, arremansamiento silencioso que calmen, por una hora siquiera, su animación sostenida. Ruedan a punto de estallar, en estado de sofocación y movimiento. Conmueven con su voluptuosa y dramática marcha, ocupan todos los espacios del ser y semejan un bloque actuante de piedra a punto de despeñarse. Avanzan y refluyen hacia el centro del Dolor, arqueando y aniquilando toda simiente de calma. Es como si tuvieran la certeza de no encontrar la meta, presas del desaliento, soliviantadas por la impaciencia. Son sentimientos atravesados por un fuego primitivo, extrañamente sujetos a las premoniciones tristes y al desconcierto. A su alrededor: destrucción y fieras amenazas. Son devoradas por su propia hambre insaciable. Y en esos asaltos desesperados hacia la consecución del Amor, del amor pleno, fecundador, en el que está vivo el sentido de la existencia y de la especie, hay el impulso genital que hace toda grande poesía. Llevan el drama del apetito insatisfecho, de una nostalgia inmensa de la felicidad, único fruto en que ha de amainarse la turbulencia del hombre. Por eso tiene esos retumbos de sangre que se entrecruzan, de enormes alaridos en una cámara solitaria.

# SE PREPARA EL ABONO

*Todo lo puede un fuego propagado*

Suelen ser dolorosos los cambios en las ideas; los conceptos que nos acompañaron durante años no se resignan al relegamiento y perduran, tibias e invisibles, para resurgir a la menor distracción de las que las suplantaron. Cuando ocuparon su sitio durante largos períodos en una vida, preferentemente en los de la formación decisiva de la personalidad, no son borradas al más leve soplo o por resolución voluntariosa; precísase de una lucha vigilante, pues siguen acechando en algún rincón oculto e insurgen así que la ocasión sea propicia.

Miguel Hernández, ya lo dijimos, trajo consigo de provincias hábitos ancestrales, de una vida sujeta a milenios de inmovilidad y cerviz resignada. Algo del campesino contradictorio y hosco se veía en su persona; no siempre su inteligencia podía contra un temperamento difícil, presto al repliegue sobre sí mismo ante la menor impresión de algo que le chocara. Aunque risueño y expansivo, a veces sus reacciones obedecían al mandato de su formación antigua. Sobresalían sus deseos de que todo se resolviese de acuerdo a sus propósitos. La tolerancia, adquisición preciosa de la sensatez y la experiencia, le faltó muchas veces. Y cuando se le abrieron los ojos para ver las cosas de otro modo, ¡qué de contradicciones le abrasaron, cuán difícil el salto liberador de las amarras, cuán penoso le resultó desoír las viejas voces que porfiaban todavía!

Por otro lado, Miguel no se desprendió nunca del cordón umbilical que le ataba a su provincia natal. De allá le llegaban palabras y consejos; suavemente presionaban sobre su ánimo tanto los amigos como los recuerdos de cosas intensamente vividas. En Orihuela quedaron los estimados, caros a su corazón, de la adolescencia radiante; allá los paisajes que eran suyos; allá su muchacha, en cuyas manos confió una mitad de sus latidos.

De vez en cuando retornaba. Sus pensamientos estaban siempre a medio camino; la ciudad, a pesar de cuanto le daba, no le ganaba del todo; Orihuela

—y él lo sabía— no podía colmar ninguna de sus grandes apetencias. Estando allí, le inquietaba la capital ruidosa, donde las posibilidades eran tentadoras; estando en Madrid, la nostalgia por su tierra le desmadejaba los sueños. "Voy sonámbulo y triste por aquí, por estas calles tan llenas de humo y tranvías, tan diferentes de esas calles calladas de nuestra tierra". Digresiones de poeta. En verdad, iba teniendo acceso a cuanto exponía su coloración intensa. Parte de sus problemas económicos estaban resueltos. Tenía un puesto en Espasa-Calpe, y, bien o mal, algunos encargos especiales eran signos de la preferencia con que se lo trataba. Las puertas de las tertulias de escritores le estaban franqueadas; ancha aprobación hallaban los sonetos que con fuego y fuerza modelaba en esos días; la inspiración le visitaba; estaba en plena floración y aprendizaje de cuanto en provincias, avaras de horizontes, se le vedó por hechura y ley de ambiente estrecho. Un nuevo impulso le hacía sobrepasar su antiguo molde; la fiebre del trabajo y el entusiasmo le arracimaba a una perspectiva descubridora de incesantes radiaciones y su queja, entonces, parece una estratagema de esa chispa dramatizadora que precozmente le dominara, excediéndose en sus tapujos betuminosos. A la menor contrariedad se invadía Miguel de una corrosiva reticencia frente a lo que apuntaba con apoteosis de viviente provecho. Madrid le sacudía con sus fachadas de ilusión y categoría, acicateándole el fuego de indagación, fuego del que saldría ganancioso. En realidad, Hernández participa de la emoción que hay en sentirse emulado, animado para las iniciativas y las innovaciones. No obstante, lleno de ese masoquismo espiritual tan de acuerdo a su edad, 24 años, se quejaba, enseñando un ángulo de sombras que no siempre era tal: "¡Si supieras qué odio le tengo a Madrid!..." "¿Cuándo dejaré de estar aquí?" Fabulación de quien precisa anublar su voz y su vida para el ajuste del canto amargo. Sin embargo, qué pronto se contradice. ¡Qué pronto se contradice! Sólo le son suficientes unos cuantos días en que algo interesante y nuevo le distraiga para que escriba a Josefina: "Yo tengo mi vida aquí en Madrid, me sería imposible vivir en Orihuela ya; tengo amistades que me comprenden perfectamente: ahí no me comprende nadie ni a nadie le importa lo que hago".

Escribe a Ramón Sijé, según éste deja colegir de su respuesta, que "Orihuela ahoga, amarga, duele, con sus sacristanes y sus tonterías de siempre". Recuerda además que Madrid alhaja al hombre con sus sensaciones ricas y variadas. "Es todo diferente a esa vida callada, donde no se sabe hacer otra cosa que murmurar del vecino o hablar mal de los amigos y dar vueltas por los puentes". Reconocimiento implícito de su preferencia. ¿Por qué entonces el otro tono de desazón oscura? Mas, a pesar de todo, así que la ocasión se lo permite, está otra vez en camino hacia su pueblo, revé a los suyos, se empapa de sol tendiéndose sobre la hierba, zambúllese en su río comarcano y parece pleno, feliz, empastado a la consistente coloración del Levante. Deja la impresión de estar definitivamente rescatado por la persuasoria simplicidad regional. Allí se entregaba a la rusticidad, desinteresado al parecer de la tumultuosa atmósfera ciudadana. De repente amanece otra vez con la inquietante fiebre —roto el encanto pasajero— y se siente inadecuado y bloqueado en la regionalidad que pone diques a su llama insatisfecha, y preso de una inquietud saludable está de vuelta en Madrid en pocos días. Luego aquí, nuevamente siente que le tironean sus campos y el recuerdo de Orihuela le estanca en la nostalgia. Una y otra vez se repite este juego.

Sin que tenga mucha conciencia de ello, la agitada vida cívica española le impele a interesarse anchamente por cuestiones palpitantes de la hora. (España se está dorando a sí misma, ya que una semilla de lucidez creciente quita de las conciencias la venda oscurecedora y su despertar sorprende por su rapidez y su firmeza.) Y por si sólo esto no fuera suficiente, sus contactos con los poetas a quienes frecuenta, hace que su poesía tome un sesgo hasta ayer extraño. Sin embargo, demasiadas cosas le atan aún a su pasado, lo que impide un más presuroso rompimiento con él, sobre todo siendo tan sensible, como es, a las manifestaciones requirentes de la amistad. Ramón Sijé, que sigue pesando sobre él con la autoridad conferida por su diligente fervor de antaño, percibe claramente que Miguel se va desprendiendo de su tutela en su vida madrileña y muestra esa debilidad, humana debilidad, de querer continuar sin cortapisas su rectoría. Cuando éste le envía su *Homenaje a Pablo Neruda,* Sijé le desaprueba el nuevo tono, le insta a proseguir en el viejo sendero so pena de desvirtuarse. Ciertamente, Sijé, catador de buena cepa, pulsa exactamente el contrabalanceo que ocasionan ideas encontradas en el espíritu de su coterráneo. Le alarma, además, las vacilaciones de Miguel con respecto a las cuestiones de la fe. Lo supone descendiendo cuestas peligrosas. No encuentra ya, en los poemas que recibe, los símbolos ayer prevalecientes. Y necesariamente se duele, él, que no pudo salir del neocatolicismo que columpió su juventud. Por otro lado, Neruda le expresa francamente a Hernández su opinión sobre *El gallo crisis,* cuyos ejemplares colocaba entre los amigos: "Le hallo demasiado olor a iglesia, abogado en incienso... Ya haremos revista aquí, querido pastor, y grandes cosas". Tironeado así por afectos contrarios, penosamente fué abriéndose paso entre la maraña. Por un lado, la esplendidez de las ideas audaces que desbroza; por el otro, el compromiso con sus antiguas raíces. No siempre es fácil vencer esa batalla. Más aún para Miguel Hernández, tan preso de las convenciones por momentos, aunque al minuto siguiente pase sobre ellas con el jocundo gesto de su adolescente impulso.

Lo cierto es que alguna cosa esencial está mudando en el poeta. Algo se subvierte en su manera de pensar. Sufre influencias que siembran trémulos frutos en su poesía, se carga de extraños y maduros pensamientos. No le es fácil, como dijimos, romper con el velado murmullo de las creencias que trajo de provincias, de una vida transcurrida bajo el influjo de claustros y procesiones. Si ayer sus ojos se elevaron, fatigados, hacia el cielo, ahora se inclinan hacia las cosas más terrenas. Y en lo terreno relampaguean sucesos que acabarán por sustraer a su alma de las ensoñaciones que le atan a las esferas frágiles del misticismo lugareño.

Sus ideas van a cambiar, su poesía está cambiando. Pablo Neruda y Vicente Aleixandre son, como vimos, los pilares a cuyo resguardo se cobija. Ambos poetas, en efecto, llenan su espíritu de atmósferas variadas. Es cuando a Sijé le asalta la aprensión del viraje, asaltado por los temores. Pero, ¡ay!, ¿quién puede impedir el flameo de una bandera que se despliega? La vocación impera, rotunda y sobresaliente, y la de él le arrebata hacia otras dulzuras, hacia otros gemidos más humanos. "Con Pablo Neruda y Vicente Aleixandre / tomo silla en la tierra", apunta en gratitud a esos días. Está deslumbrado por el color de otras palabras, de distintos modos de color desazonado. Neruda le revela ignorados misterios. Y comienza a animarse de variadas potencias. Esto en lo poético, mas como adelanto ya de la ulterior transformación de sus ideas.

Mientras tanto, propende a cautivar en su pecho respuestas esenciales a impostergables preguntas. Se proporciona noches enteras para vibrar en convivencia con sus amigos. Su extrema sensibilidad, su enorme sabiduría captativa, se despliegan con avidez sorprendente. Se discurre sobre todo y sobre todos. Alguien habla del apostolado de la poesía, del envío del corazón hacia la dolida existencia de los hombres.

Extraño momento debe haber sido aquel en que Hernández escuchó en boca de otros postulaciones distintas a las suyas sobre problemas que se suscitaban en esos meses pletóricos de sucesos. Escucharía, grave y concentrado, "con ojos tristes de caballo perdido". Imperceptiblemente se abre paso, en silenciosa conquista, lo que al principio la razón rehusa y ya el instinto virtualmente acepta. Sin que tenga mucha conciencia de ello, se va separando de su pasado. Es arrancado de su primitivo mundo, y sólo cuando quiera volver la mirada atrás comprenderá cuán distante se encuentra, cuán adelantado, y cómo se hace imposible el rescate de lo que queda definitivamente lejos. Mas, como continúa en la patria feliz de su nostalgia, los conflictos le desgarran y extravían, hasta que el nuevo germen florece victorioso. Cuando eso ocurre, ¡con qué fuerza y con qué impulso se manifiesta! Es de los que se entregan con ahinco a lo que le atrae. Su naturaleza le impele siempre hacia las posturas máximas, piedra de toque de su debilidad como de su omnipotencia. Dota su crecimiento de una fertilidad que hasta entonces no conocía. Su caudal, en ese corto espacio de meses, se enriquece tanto, que en lo que produce en esos días de ebriedad vigorosa se ve el empleo de los esplendores que recoge. Trabaja precipitadamente. Lo más importante: comienza a ver el mundo como debe verse, a encarar la vida zafado de todo cuanto pudiera escamotearle sus verdades desnudas.

Otro efervescente, nocheriego, americano también, le llevará más lejos, ya robustecido por la comprensión completa de los sucesos sociales, Raúl González Tuñón. Es éste quien se le enfrenta y le pelea más, porque quiere entregarle la llave definitiva. Con gran ternura presiona sobre sus ideas. ¡Oh, qué perplejidad envuelve esos momentos en los que los hornos van a abrirse manando panes de oloroso alimento! Sus antiguas ideas se hacen añicos. Las hojas viejas caen, como en el otoño, y brotes verdes anuncian como en la primavera, el vigor que suscita la labor de la savia.

"... Por ese entonces Miguel nos escuchaba atentamente —cuenta Tuñón— cuando discutíamos con nuestros amigos en casa de Neruda o en la Cervecería del Correo, acerca de la doble función de la poesía en épocas de ruptura, de transición, en épocas revolucionarias. Un día Miguel Hernández se puso resueltamente de nuestra parte. Miguel sabía, como nosotros, que estábamos en medio de la tempestad".

¡Qué sorpresa entonces la de Tuñón cuando, en la despedida que se le ofrece en la Taberna de Pascual, en ocasión de su regreso a América, percibe el inaugural y lúcido contenido, el eco hasta entonces no escuchado, en el soneto que le dedica Miguel:

Raúl, si el cielo azul se constelara
sobre sus cinco cielos de raúles,
a la revolución sus cinco azules
como cinco banderas entregara.

Hombres como tú eres pido para
amontonar la muerte de gandules,
cuando tú como el rayo gesticules
y como el rayo al rayo des la cara.

Enarbolado estás como el martillo,
enarbolado truenas y protestas,
enarbolado te alzas a diario,

y a los obreros de metal sencillo
invitas a estampar en turbias testas
relámpagos de fuego sanguinario.

Está ya Miguel Hernández, provisto de la arrebatadora carga, en supremo alzamiento gozoso, reemplazando lo de ayer por lo de mañana, con el gesto férvido de quien ase de repente el remo que le escamoteaba el viento. El que se haya demorado para comprender garantiza la seguridad de su nueva mirada en la que nada hay de incursión adventicia. Su desconfianza invalidó muchas veces la aproximación rápida. Para que en él tomara cuerpo una luz nueva, necesitaba persuadirse bien de la eficacia de sus efectos. Y así que fué ganado por la norma del atisbo seguro, permaneció inalterable en sus convicciones.

Ahora está en la esfera del cambio y la osadía. Levanta el arcón de *Los hijos de la piedra,* pieza de teatro que González Tuñón trajo consigo a Buenos Aires, cuyo andamiaje enseña el cuerpo de ideas de que ya está poseído. Drama protestativo de la tierra, el Pastor que enfrenta al Señor en la obra y que acaba por expandir una semilla de insurrección sagrada y justa, es, en definitiva, la voz de Miguel Hernández que se ha alzado a cumbres de adelantado soplo. La mansedumbre ha quedado atrás dando lugar a la protesta.

Así, como a otros tantos, lo que ocurrió después no le tomó desprevenido. Preparado estaba al despertar de aquel día, 18 de julio, día que al desabrocharse dió lugar a un murmullo que iba subiendo en zumbido o grito agudo, sordo rumor de tierra que se abre y sobre cuyo precipicio tantos destinos y tantas oscuridades penderían.

Estaba preparado.

## EL 18 DE JULIO

*Ya en el tambor de arena el drame bate.*

Una vez escribió Miguel Hernández a unos amigos, a impulsos de esa apetencia de sucesos nuevos en su vida que le era proverbial, escribió que fatigado de tanto quehacer parecido, tenía ganas de que le sucediese "algo muy grave o muy dichoso". Lo dichoso estaba lejos; Josefina no puede, desde la distancia, calmar lo que en su turbulento corazón se desata; la diaria labor en Espasa-Calpe ponía cortapisas a su fantasía y acabó por fastidiarle. No era, pues, lo dichoso lo que iba a salvarle sino lo grave, lo muy grave. Y como ya está con la sangre y la pasión dispuestas para enfrentar toda laya de eventos, cuando lo muy grave llega, se llena de ardimiento.

El 18 de julio de 1936, el suelo de España tiembla en auguraciones de sucesos aciagos. ¿Qué ha ocurrido? Que muchas guarniciones militares apoyaban la sublevación que el día anterior estallara en Marruecos, encabezada por jefes, monárquicos algunos, declaradamente fascistas otros, que veían en la República un riesgo para sus regalías, alimentadas por banqueros, terratenientes, clericales, la coalición toda que estranguló el aliento de la península.

Quienes avizoraban los hechos con ojos limpios, desde el primer instante comprendieron que en el estruendo no sólo entraban en juego asuntos puramente españoles, sino una vasta urdimbre de intereses extranjeros y que, por ende, comenzaba una hora negra para el mundo. Y cruel, muy cruel, para España.

Los corruptos que esparcían la lava con el fehaciente propósito de detentar antiguos privilegios, lo hacían con tal ludibrio y tenebroso gesto traicionero, que un millón de muertos no iba a ser suficiente para lavar la felonía. Si bien contaban con el efecto del desconcierto inicial, sus catalejos no servían para ver el fuego de la rebeldía popular, tan potente que les anudó el entusiasmo, interceptándoles la risa satisfecha.

La respuesta popular fué la consecuencia de preparaciones previas, de una febricitante labor de catamiento de energías, de advertencias reiteradas y, sobre todo, de robustos ensayos en la medición de fuerzas, de los que saldría templada la musculatura del pueblo que sirvió de dique a la atrevida catarata negra.

Así como en el pueblo, la decisión capital en la vida de Miguel Hernández llegó precedida por una suma de actitudes menores que imperceptiblemente la preparó, suma que tramó con hilos invisibles el acaecimiento de algo mayor y decisivo. Los hechos mismos de la vida suelen encargarse a menudo de precipitar la asunción de una determinada conducta, red abierta de la que no se puede huír so pena de desmentir todo lo que en grado menor fué preanuncio de esa decisión. Llega la hora en que se debe dar aliento y cuerpo a los conceptos que se han abrigado. A la proximidad del instante decisivo, no se puede huír. O una u otra cosa. O el gesto heroico que sintetice las fórmulas, o la completa anulación, en cuyo caso no se puede seguir siendo uno mismo. El telón va a alzarse y cada uno enseñará su legitimidad o sus flaquezas. No hay subterfugio que valga. El 18 de julio fué para Hernández ese instante decisivo también. Desde hacía meses venía siguiendo con atención los sucesos políticos españoles; su modo de pensar, como ya hemos visto, se había modificado y sus desplantes juveniles traducían sus ideas nuevas. No era ya el Miguel inseguro de otros días. Su adhesión abierta a los soplos de renovación y democracia, se expresaban en las impetuosas discusiones que sostenía en reuniones privadas o en tertulias públicas.

España estaba en vísperas de horas gravísimas. Saltaba a los ojos la incapacidad del gobierno de prevenir la tormenta. Concesiones tras concesiones a un ejército corrompido, cuyos cuadros no se habían renovado, a pesar de las alharacas y las promesas, concesiones extendidas a los feudales con el clero al frente, no hicieron sino preparar el terreno a la catástrofe. Cuando las fuerzas internacionales del fascismo dieron el zarpazo, quedaron atónitos solamente aquellos que no quisieron ver lo que se venía, desde tiempo atrás, preparando; mas la mayoría del pueblo estaba advertida y dispuesta a recoger el guante del desafío con una categórica respuesta.

A Miguel Hernández la juventud le dicta la conducta inequívoca, ya que es de la juventud la gracia de agarrar por el pulso a lo vivo y proceloso que tiene el tiempo en que se vive, es decir, de abrir siempre los ojos en la hora exacta para aprisionar, en medio de sus destellos, los frutos vitales que la rodean y saber ocupar, por fin, el sitio correcto entre las circunstancias y los hombres.

La efervescencia de la primera hora lo ocupó todo. Como en un severo colmenar resuena por España toda la sangre que va a dorarse de sol en magistratura de heroísmo. Se han formado las milicias populares con barro de entusiasmo y poca ayuda; contingente de salud y potencialidad que era el embrión de un ejército disciplinado y férreo, milagro del fervor y la conciencia política del pueblo. Miguel Hernández se incorpora a las filas del 5º Regimiento, lumbrarada formidable de la primera hora. (Como un sombrío golpe siente en el corazón la noticia del asesinato de Federico García Lorca, del que dirá que era "una nación de poesía". Tanto se le removieron las honduras con esa muerte, que un año después pudo manifestar Hernández: "Desde las ruinas de sus huesos me empuja el crimen con él cometido por los que no han sido ni serán pueblo jamás, y es su sangre el llamamiento más imperioso y emocionante que siento y que me arrastra hacia la guerra". Noticia pavorosa que pareció hacer vacilar a la tierra sobre sus ejes.)

Pero antes de que los fragores le envuelvan por completo, tiene todavía tiempo de marchar hasta Orihuela donde, al contacto del amor y del paisaje, adquirirá el movimiento definitivo para el desafío a las sorpresas que se avecinan. No eran los mismos ojos, sin embargo, los que se enfrentaban ahora con los mismos paisajes; mucho había mudado el joven Miguel desde su última visita. Y como allá también había "disturbios", como le informó Josefina, comprendió en seguida que la situación había mudado. También allá, en Orihuela, vió la cara de las "dos Españas" y, poseído como estaba él por el clamor de la España saludable y límpida que le tenía conquistado, discutió con sus amigos, con la vehemencia que le era propia, sobre la suerte de la patria arrojando invectivas sobre los fascistas que la vendían. ¡Qué alto precio pagará por esos desplantes! Había oídos que escuchaban para no olvidar. Se ahondaron las diferencias con sus compañeros de antaño. Tanto se había adelantado en Madrid, que el choque se produjo, triste e inevitable, en este regreso; choque escalonador de otros que eran hitos de su impoluta resolución de mantenerse fiel a su verdad. Ve el grado de las diferencias y pulsa lo que hay de viviente y de lívido en su propio pueblo natal; propala sus ideas, sincero y dominador, libre de los prejuicios que ayer le impedían dilucidar con visión amplia las grandes cuestiones que desde hacía siglos estaban pegadas a las viejas piedras españolas y deja, por donde pasa, el cartelón de su franqueza que, por verse demasiado, le preparó el ambiente adverso donde después se asentaría la celada. Apura a sorbos los últimos dichosos momentos en esos días. Visita regularmente a Josefina, aunque hay algo que ha puesto entre ellos una espada amenazante que ambos tratan de no mirar. El padre de Josefina, el guardia civil Manuel Manresa, se bate contra los republicanos y en el más inesperado momento, a los 28 días de iniciarse la cruenta contienda, les llega la noticia de su muerte. ¡Pobre Josefina! ¡Cuántos conflictos interiores le acarrea esa muerte! El amor triunfa, como triunfa siempre, por entre el sacudón oscuro. Y cuando Miguel, que la visita frecuentemente en Elda, donde a la sazón vive ella, se despide para volver a ocupar el sitio de su deber, hay en ambos la aprobación tácita del sendero que escogieron y sellan para siempre una unión espiritual que nada sería capaz de destruir en lo futuro.

Héle, pues, en Madrid nuevamente. Un salvoconducto expedido por el Frente Antifascista de Orihuela le abre paso por los caminos que, de tan rumorosos y amenazados, han tomado un color de grumo crispado. Estamos en septiembre. Dos meses de lucha fueron suficientes para que la piel de los hombres se desempolvase de cualquier letargo; de esto habla a las claras el que de la nada haya surgido un movimiento de resistencia al fascismo, con la preparación de las milicias obreras y campesinas, que han puesto un relámpago de advertencia a toda bravuconada enemiga. Advertencia inicial que se tornaba urgente decidir en muro sólido para garantizar la continuidad de sus éxitos, es decir, que se hacía necesaria su transformación en fuerza orgánica, cual sería un Ejército regular, con mando sólido y único. Porque si bien el entusiasmo y el fragor colectivos consiguieron en los primeros momentos enseñar su potencia en las victorias de Valencia, Cataluña, Alicante, Albacete y otras provincias, no por eso la reacción cedió en su pasos. Cegada por el resplandor heroico que fosforecía en todo lugar, solicitó el socorro del fascismo extranjero que, antes de acabar un pestañeo, acudió presuroso. Gracias a esa ayuda, en víveres y armamentos, el enemigo consiguió avanzar sobre todo en el sector de Talavera, con vistas a tomar Madrid. En sus manos habían caído Badajoz, Mérida y Oropesa. El cielo se cubría de presagios tristes. Madrid estaba amenazada. Toda España vibró ante la amenaza.

Miguel Hernández, que está con el relucimiento metido hasta los huesos, que ya colaboraba en "El Mono Azul" de tan preciosa presencia en esa hora, que acudía diariamente a la Alianza de Intelectuales, semillero de tantas esenciales chispas, se incorpora en septiembre al 5º Regimiento y es destinado a cavar trincheras en un batallón de Zapadores Minadores, precisamente para trabucar la amenaza que está en Talavera de la Reina, acechando Madrid. Así se le ve, metido hasta la cintura en las trincheras, sucio de tierra y barro, en los alrededores de Madrid, en el pueblito de Cubas, como un arcángel que se alimenta de la propia sombra de sus alas. No se acabaría de comprender completamente el espíritu de Miguel Hernández, su absoluta posesión del clima heroico, si no se viese lo profundamente importante que fueron para él esos días de convivencia anónima con seres que apenas si habían escuchado su nombre, que ignoraban, por cierto, lo que en su corazón alerta hervía; para los más era uno entre tantos, un ardiente muchacho que se identificaba con ellos.

Haciendo fortificaciones, hace vida de soldado simple, confidente del sonido de su pecho, apoderándose de otras densidades humanas que hasta ayer le eran extrañas, poseído de su transportación romántica que le aureola, examinando la atmósfera, pulsando su propio desarrollo. No hay separación alguna entre él y los soldados. Confunde su aliento con la pesada respiración del campamento. Y como es suya la capacidad y el poder de mimetizarse y asimilarse lo que le rodea, se olvida de sí mismo, experimenta el placer agudo de sentir como sienten los sencillos seres con quienes convive, se traspasa de su mismo silencio pesado, de su descarnado y vibrátil lenguaje, de sus hábitos rudos. De tierra removida se sustentan sus días; de parpadeos de vivac sus noches. Su sensibilidad recoge un memorial de impresiones inéditas, inspeccionándose a fondo, sin repeler aquello que le choca. Estaba dispuesto a la trituración bajo sensaciones encontradas, porque sabía que en eso mismo estriba el aprendizaje. En la concomitancia de plácidos y rudos momentos se moldeó su disposición insurgente, el milagro de su ulterior itinerario, la yesca de su voluntad que no sufriría fisuras ante lo adverso y agresivo que llegaba. Colmado por la apuración de sus fervores, sintió que estaba y que no estaba en ese sitio al mismo tiempo. Escribe a Josefina: "Estoy aquí como si no existiera el mundo para mí, como si me hubiera muerto y me encontrara con muchas cosas extrañas y fuera del tiempo". Eso. Fuera del tiempo, ¡tan metido en el tiempo como estaba! Y con muchas cosas extrañas, ciertamente. Mas todo eso formaba parte de sus adquisiciones, de las riquezas que acumulaba en su alforja.

Cae enfermo en esos días. Una infección intestinal motiva su regreso a Madrid, y allí le cabe ver la actividad febril que impone la preparación de las defensas contra el peligroso cerco. Se va acercando noviembre, mes odiseo que verá cosas terribles. Allí le toca contemplar la otra cara de los hechos: el desafío soberbio a la tormenta por los madrileños que esperan el peligro, no con tensión desfalleciente y temerosa, sino abarrotándose de canciones, de alegría y de trabajo.

Halló a la ciudad toda envuelta en una embriaguez olímpica. Se había transformado en un ruedo encendido en donde la sorpresa inicial se metamorfoseó en gigantesca manifestación de trabajo y entereza. La voluntad de resistir al enemigo se tornó inmarcesible. Obreros y estudiantes, intelectuales y rudos voluntarios, mujeres y ancianos, confraternizaban en una unidad tácitamente sellada. Jubilosamente se aprontaban a concretar su odio al fascismo; cada cual sentía el imperioso llamado y al minúsculo concierto de la contribución de todos se elevó el muro sólido que daría pronto una lección de esencia imperecedera. Era avasallador y grandioso el espectáculo. A un solo impulso creció la marejada y una misteriosa belleza salía de los hechos. Miguel Hernández cayó en medio de esa oscura potencia que inadvertidamente le calaría hondo, tan hondo que ya no se libraría de su hechizo. Cada actitud de su vida, de ahora en adelante, ha de plasmarse en un inequívoco gesto de amor a la gesta y al sacrificio del pueblo.

En Madrid vuelve a conversar con sus viejos amigos. ¡Cómo ha mudado todo en tan corto lapso de tiempo! Las ideas giran ahora sobre lo único que ha polarizado todas las atenciones: la suerte de España. Han quedado atrás las elucidaciones triviales de este o aquel asunto. La responsabilidad de la hora los ha tornado más graves y más vivientes. Hernández, definitivamente poseído por la mágica tensión del arrebato, levita en sus eufóricos arranques. Ha mudado mucho. Le ha hecho mudar mucho su anterior permanencia en Talavera de la Reina. El clima de la guerra le ha ganado por completo. Con la cabeza rapada y el mono azul que viste emocionado, ha dejado atrás las angustias que le desvelaban.

Cierto es que cada hombre iba a ser aprovechado en una esfera distinta. Sabiamente iban a ser empleadas las capacidades y las inclinaciones. El raciocinio correcto dictó esa medida. Los intelectuales jugarían un papel importante en la contienda, lo estaban jugando ya. Así también a Miguel Hernández se le destinaba un puesto acorde con las virtudes de su temperamento y su inteligencia. En ese mes de octubre, que a empujones venía trayendo al noviembre heroico e inolvidable, se incorpora como Comisario de Cultura en el Cuartel General de Caballería. Como Comisario de Cultura, porque lo que en esa España no se olvidará, así se agraven las circunstancias, es el acceso del pueblo a sus grandes y preciosas adquisiciones espirituales, a su tradición de Pensamiento y de Arte. Además, allí se comprendió también que la cultura no es letra muerta ni pretexto para mezquinas vanidades, sino relumbre vital y poderoso filo. Tenía que respirar y vivir en la justa misión de apoyar y contribuir a la victoria de una causa noble. Hubo que escogerse entre los mejores y más valientes para la digna tarea de hacer cumplir ese deber entre los eternos desheredados de su usufructo y que eran, sin embargo, los únicos capaces de garantir, a costa de su vida y su sacrificio, la continuidad de su desarrollo, de posibilitar en un futuro su pleno florecimiento. Era preciso que los intelectuales todos fueran a compartir la suerte del pueblo que los amaba. Y fué así como se vió el cuadro de soldados apiñados en torno de un escritor o de un poeta que les entregaba un alimento que hasta ayer les fué negado. Miguel Hernández no iba a conformarse solamente con guiarles por ese camino, con su activa participación en los centros de cultura o en una improvisada reunión en las trincheras, sino que también empuñaría las armas en la contienda, como aconteció pronto. En efecto, cuando llegó noviembre y la defensa de Madrid se tornó épica, Miguel Hernández, que fué destinado con su batallón a rechazar el asedio por sus alrededores, en Bobadilla del Monte, en Alcalá de Henares, pudo ver la muerte cara a cara, y morir un poco también con los que morían. El cubano Pablo de la Torriente cae a su lado y el poeta llora sobre su tumba. Sufrió, con los suyos, "hambres y derrotas", como dijo después, haciendo preponderar su elevación sobre las caídas y los dolores.

Cinco meses de guerra no eran sino el comienzo. Preparándose para su madurez completa, acerando la garganta para los cantos graves, no abandonando por eso su diligencia para sus seres queridos, ve que la tormenta cobra proporciones infaustas y anhela ganarse, en medio del incendio, la porción de felicidad a que se siente con derecho. Reinicia su sueño incierto de dicha y regocijo. Y antes de que el año se cierre, resuelve que el amor le acompañe en su lucha. Y así nuevamente escribe a Josefina, proponiéndole matrimonio para pronto. Para pronto, pues el sonido de los días tristes y difíciles le integra a una inmensa necesidad de asir lo que le pertenece ya en compensación de su fidelidad y su pureza y porque, en lo remoto de su corazón, se le agita el ansia de perpetuación de su simiente que ha de consumar por encima de cualquier evento, feliz o desdichado.

## AMOR E INCENDIO

*He poblado tu vientre de amor y sementera...*

Sobre esa inmensa urgencia de totalidad, la guerra continúa. Se sabe ya que su resplandor nada tiene de efímero y que habrá que prepararse para soportar su quemadura. Pasados los días terribles de noviembre, en los que Hernández contribuye con su esfuerzo a la articulación de la resistencia madrileña, se ilusiona dando un curso definitivo a su incendio amoorso. Sueña con tener una casa en la Ciudad Lineal aunque sabe "que no son los tiempos que corren precisamente los que necesitamos para nuestra luna de miel".

Los acontecimientos no permiten, entretanto, la realización inmediata de sus planes. Se ocupa, en el intervalo de espera, de ganar a Josefina para sus ideas, impulsado siempre por la necesidad de transmitirle todo lo que es parte y esencia de su vida. Y sus ideas lo son. Quería que ella también se encendiese a su lado, inflamada y briosa en la comprensión cabal de cuanto estaba ocurriendo. Procura hacer florecer en su ángel la vehemencia que él irradia. Sabe que no es posible caminar sobre una misma música con visiones antagónicas de la vida. El soñador abre sus puertas al ser querido, haciendo todo porque ella se inspire en su ejemplo y saque sus propias conclusiones. Hay en ese afán una emocionante y viril confianza en la muchacha.

Un largo sufrimiento en común predisponía a ese deseo de integración en todo cuanto podía enriquecerles. No les ha de ser, empero, demasiado fácil. Porque si Hernández trascendió ya el catolicismo de su infancia, Josefina no. Ella continúa en el mismo ambiente monjil de su formación primera, y Miguel, en ese sentido, estaba adelantado. Ardoroso y apasionado abrazó su nueva causa con convicción y potencia invulnerables. En su causa ve el porvenir de España y, por eso mismo, el porvenir de su propia vida. El porvenir de ambos. Por eso le escribe: "Tienes que llegar a comprender que con la guerra que nos han traído no defendemos más que el porvenir de los hijos que tenemos que tener. Yo no quiero que esos hijos nuestros pasen las penalidades, las humillaciones y las privaciones que nosotros hemos pasado, y no solamente nuestros hijos, sino todos los hijos del mundo que vengan". Conciencia tiene de que está peleando por un mundo de trabajo fructífero y de más anchas cosechas, que del triunfo depende dejar atrás el pasado. Y concluye: "A tus hijos, a mis hijos, los enseñaré a trabajar, sí, porque el trabajo es lo más digno del hombre, pero a trabajar con alegría y sin amos que los hagan sufrir con insultos y atropellos". El tono es un anticipo del que usará en su *Labrador de más aire,* donde la sed de justicia relucirá también con justas palabras.

La guerra civil prosigue impiadosa. Miguer Hernández pasa unos días en Valencia en el mes de febrero y tiempo después es destinado al Altavoz del Frente en el sur. Ahora está con el comandante Carlos y vienen juntos a Jaén. El amor sigue llamándole. Y el 9 de marzo de 1937, en Orihuela, se celebra por fin el tan anhelado matrimonio. No hubo ceremonias religiosas. Un simple acto consumó el enlace; la presencia de algunos familiares y otros pocos amigos dió la nota de recogida algarabía. Pasan la primera noche en Alicante, de paso para Jaén.

Ya en Jaén nadie ignora la presencia de la pareja, risueña como estallidos de ramos de rosas. Su alegría echa perfumes en la habitación de bodas, flores en el lecho, lecho de tantas ternuras que quedará gravado en la ardiente imaginación del poeta. ¡Cómo le apareció todo tan claro en esa hora! En un abrir y cerrar de ojos, los sinsabores pasados se esfumaron. En Jaén, Josefina solía sentarse en la máquina de escribir y él le dictaba, entre soldados, largas frases de amor. Paseaban frecuentemente por el campo. Parece que, por una vez, nada va a turbar su regocijo.

> Palomar del arrullo
> fué la habitación.
> Provocabas palomas
> con el corazón.

Todas las sensaciones de esos años de espera se volatilizaron en pocas semanas: las turbadoras inquietudes, la fogosa fertilidad de sus deseos. Rescató en pocos días cielos de anhelosa búsqueda. Están, así lo creen, inseparablemente unidos ahora.

Pero qué poco duraría esa alegría: la felicidad se les escapa pronto de entre las manos. Enmudece la risa loca de la pareja cuando Josefina recibe el llamado de su madre que cae enferma en Cox y para allá acude presurosa. La dichosa tregua se ha roto; infortunados nubarrones se ciernen nuevamente en el horizonte. Pronto recibe Miguel noticias inquietantes sobre el estado de la enferma. Acaso por presentir lo peor, o por un llamado de Josefina, marcha también a Cox. Cuando llega se encuentra con lo irremediable. Y Josefina, que siente ya un hijo en las entrañas, nunca olvidará con qué rostro demudado y trágico se arrojó Miguel sobre el cadáver de su madre, cubriéndola de besos. Así, entre una vida que va y otra que viene, el hogar humilde es cercenado por la fatalidad inesperada.

Hernández, macerado ya por tantas peripecias, tiene una vez más un gesto de hombría formidable: se hace cargo de las pequeñas que quedan huérfanas y en adelante las llamará "hijas" con su habitual derroche de ternura. Cuando acaban esos días luctuosos, sus deberes le llaman de nuevo y retorna a Jaén. Josefina queda en Cox, cuidando a sus hermanas. Ya no regresará a Jaén, pues Miguel, que la sabe grávida, decide que no regrese allá, donde "de vez en cuando bombardean".

El uno sin el otro otra vez, como al comienzo. Pronto debe marchar hacia Badajoz, al trasladarse el Altavoz del Frente a Castuera. Hubiera querido permanecer junto a su esposa, aunque ese deseo no le aparta del plan de vida que se ha trazado; acepta esa renuncia porque el sentido del deber prevalece en su conducta. Con una aguda satisfacción por el hijo que espera, escribe por esas fechas la "Carta del esposo soldado" en donde se traslucen las pasiones centrales de su vida: el amor y la lucha. Fluye su canto a la presión de una respiración regular que mana de lo más hondo de su pecho; confiante himno de fe en las claridades por encima de la penumbra incierta de las trincheras. Profesión de cariño entrañable en un emocionado rapto de aproximación a pesar de la distancia. Nada de lamentaciones plañideras por la separación obligada, nada del sollozo mártir que denote una flaqueza. La lucha tiene un alto sentido y él está en medio para cumplirla sin devaneos. Más que nunca ahora cobra significación ese combate, ahora que una luna creciente anuncia su hermosura en el vientre de la mujer amada. Por primera vez arroja de su poesía las oscuras premoniciones que solían turbarle las diafanidades. Todo lo que en él hay de ímpetu se agrupa en su boca. Está volando como nunca, pues como dirá después, "sólo quien ama vuela". Las turbulencias inquietas se sosiegan y una dulzura arrancada de raíces hondas refleja el milagro de su paternidad próxima. El mundo tiene un sentido de creciente aurora. Nacerá el hijo envuelto "en un clamor de victoria y guitarras" y nada puede privarle ya de la suprema bianaventuranza.

Para el hijo será la paz que estoy forjando.
Y al fin en un océano de irremediables huesos
tu corazón y el mío naufragarán, quedando
una mujer y un hombre gastados por los besos.

Pronto puede volver a verla. No ha de permanecer mucho tiempo en el frente extremeño. Visita Madrid y tiene ocasión de conversar con Aleixandre, que a la sazón sufría de una antigua dolencia. ¡Qué distinto lo encuentra ahora el amigo! La guerra lo ha tornado más hombre y más profundo. Su figura ha cobrado notables proporciones. Aleixandre lo encuentra tomando a pecho su apostolado. Era ya el poeta amado y admirado de la gente simple cuyo pan compartía, entregado por entero como estaba a su labor de agitación en el frente, ora leyendo sus poemas por el Altavoz del Frente, ora violento y soñador por las trincheras, siempre recorriendo de aquí para allá la atmósfera cargada. Como ahora en Madrid, aparecía intempestivamente en las retaguardias, como desmontado de su vértigo, con la cabeza rapada, combatiente y reñido el fervor, hosco a veces porque no todos asumían la conducta paladín acorde al minuto que se vivía. Solía emplear su sarcasmo para fustigar a los pasivos, retorciendo sus raíces a la vista de todos. ¡Qué hermosa y saludable intemperancia la suya! Marcaba el paso al ritmo de su efusiva sangre, sangre que le tronaba en las orbitarias cansadas.

Esos días con Aleixandre fueron de recapitulación de cosas comunes. En verdad, sólo cuatro pequeñas piezas teatrales impresas resumían su grito en vilo. Las tituló *Teatro en la guerra,* editadas por *Nuestro Pueblo,* Madrid-Valencia. Había bifurcado su voz hacia la tentación de siempre, el teatro, con tonos de agitación para infundir fe, ayudar al coraje trascendente y, de paso, estigmatizar a los morosos que no enfrentaban los resoles bravíos por miedo a chamuscarse. Teatro de circunstancias que sirvió de puente hacia su obra más acabada, aquel *Viento del pueblo,* cuyos originales le quemaban ya los bolsillos y el pecho. Un abrazo cálido —¿el último?— cerró la entrevista con el amigo querido.

Y otra vez marchó rumbo al Levante, a Cox, a dejar su moneda de júbilo exultante.

Retoma su costumbre de apego y acercamiento al color serrano; se pierde por las cumbres, como en la mejor época de sus andanzas, segura la puntería creadora al acicate del paisaje ante cuya pródiga transparencia se extasía con religioso embeleso. Al influjo de esas cumbres se decantan los poemas de su futuro libro de guerra. Como olvidando las circunstancias de su vida actual, se entrega por completo a su labor poética. Está con tres meses de permiso y su libro va adquiriendo forma definitiva. Tres meses de apoteósico incendio al lado de su muchacha, de contacto con el aire puro, de espiar en los altozanos, de regresar contento cuando su labor le da razones para ello. Desde la casa misma podía contemplar la sierra, próxima como se encuentra a sus estribaciones; desde la casa misma que, animada por el amor, tiene otra vida.

Vuelve a Madrid y de allí se encamina a Valencia, donde está por celebrarse el Congreso Intrnacional de Escritores Antifascistas. Neruda ha llegado de París para ese acto. Estamos en el mes de julio de 1937. Jean Cassou, César Vallejo, Henri R. Lenormand, Nicolás Guillén, González Tuñón, además de tantos otros escritores extranjeros, se encuentran allí, celosos de cumplir su deber para con España. Es el gran resplandor solidario de la inteligencia mundial para con el pueblo en lucha, demostración airosa de simpatía, al fin, para con el país que sirve de valeroso primer valladar de contención a la amenaza del fascismo.

Rica experiencia acumula el poeta en pocos días Se codea con altos espíritus que han llegado a compartir un clima de flamígera protesta. De los más lejanos rincones del planeta llegaban esos espíritus, como expresiones de la adhesión incondicional de sus pueblos para con el relámpago de la justicia en lance con la penumbra. Esa fraternidad aminoraba la vergüenza de la política de silencio y no-intervención de quienes pronto, muy pronto, como recibiendo el vuelto de su gesto energúmeno, sentirían en carne propia la noche, venal y traicionera, del fascismo. Con el solo atuendo de su noble presencia, escritores hermanados por su fe común en la victoria del hombre, apenas con el rubor de no poder dar más de lo que podían —su pensamiento algunos, otros sus propias vidas— establecían la emocionante concordia por encima de las diferencias de razas y de lenguas. Allí, en Valencia y en contacto con ellos, Miguel armonizaba su alma con las almas de otros pueblos y el vigor de otras tierras.

Sus ojos saltan los valladares de las fronteras en el diálogo fecundo. Y un día, inesperado y decisivo, recibe una invitación del Ministerio de Instrucción Pública para visitar la Unión Soviética y poder estudiar teatro. El imán atractivo le subyuga. Hace rato que Miguel está asaltado por el deseo de conocer la patria de la revolución, de la vida renovada que le encandila. Ebrio de contento, comunica a su mujer la buena nueva.

El hecho encierra para él cardinal importancia. Con todas las facultades alertas, tendrá que comprobar por sí mismo la veracidad de cuanto ha leído y escuchado sobre el país de los trabajadores, del socialismo triunfante.

Ni los preparativos de impresión de su *Viento del pueblo,* que ha entregado, ni las aprensiones por el embarazo de Josefina —que va para cinco lunas— le retienen.

Por primera y única vez abandonará España y se le ahondarán las raíces desde una nueva perspectiva.

# VIAJE Y RETORNO

*El corazón se queda desnudo entre verdades.*

Sin más preparación que su propio arrebato —tan imprevisto como fué todo— el 27 de agosto sale de España. Arriba a París al día siguiente, y allí se fotografía, moreno rostro de paisano, talante de miliciano, sonrisa vasta y aire de forastero. Los amigos franceses acogen cordialmente a la delegación española. Un banquete encierra las demostraciones. Miguel, que no domina el francés, se siente desarraigado, si bien recorre todo París apetente de cuanto desconoce.

En realidad, ese primer salto hacia tierra extraña, le sirve para que vea brillar, ya a los primeros días, su gran cepa española; así que salga de Valencia comienza a agitársele la entrañable rama. Tanto que dos días después escribe ya: "Me acuerdo mucho de España, como si la hubiera perdido para siempre". Su naturaleza abrasada, ambiciosa de bruñirse entre tierra jugosa, de quemarse en su suelo natal donde "sobra la luz", no se acomodará fácilmente lejos.

El primero de septiembre de 1937, arriba a Moscú en momentos en que se realiza el quinto festival teatral soviético. Ha llegado la hora anhelada. Se instala en el Hotel Metropole de la capital moscovita. El tibio aprieto de las manos amigas le entera del cálido hospedaje. En contacto ya con el arte nuevo, luego de asistir a las representaciones teatrales, declara al periódico "Isvestia": "Un pueblo que posee tal arte es, indudablemente, un pueblo fuerte y poderoso, que vive una vida brillante, alegre y pletórica".

Días después emprende una gira hacia los más importantes sitios del país inmenso. Le paraliza el espectáculo de la construcción febril, de los campos que se encarnizan disputándose la mayor siembra, de la gente que rasgan los días con el sudor en un esfuerzo heroico y apolíneo. Se le aguza entonces el dolor por la patria lejana, mísera y sacrificada, al confrontarla con la esplendidez en apogeo de ese mundo que nace. Así esté en Moscú, en Leningrado, o en Kiev —sitios que visitó—, pleno de rebosante entusiasmo, en activo encuentro con lo que anheló conocer y en lo que ve el futuro de España, así le ilumine la dicha de reiterar su confianza al abrigo de una comprobación de la honda verdad de la causa que abrazó por hambre de Justicia —hambre enorme como la que le acució siempre—, sus raíces se tienden desesperadamente hacia España, cuyo holocausto le tiene desvelado. En una interviú en la *Gaceta Literaria* de Moscú dice: "He venido a la URSS directamente del frente y al regresar a España volveré a las trincheras. Allí está mi puesto, allí está el lugar de cada español honrado, que no de palabra, sino de hecho, se esfuerza por ver a su patria y a todo el mundo libre del fascismo". A duras penas se lo representa uno fuera de sus ámbitos. A duras penas. En su correspondencia se dibuja el clamor, el vehemente deseo de reincorporarse al cumplimiento del deber que le asalta. Y así como deja el testimonio de su fervor en el poema *Rusia*, así también deja el de su añoranza en su *España en ausencia*. Rusia le impresiona vivamente. Y como siempre acontece con él, se expande y vibra al contacto de lo que toca su oculta melodía. La tierra soviética y su paisaje humano son para su sensibilidad como fuentes que respiran y por lo tanto le sumergen en su magia y su fuerza de gravedad poderosa. Le contamina la plenitud cotidiana de la labor incesante, ininterrumpida. La chispa nuevamente ha brotado al contacto de la piedra nueva.

En trenes poseídos de una pasión errante
por el carbón y el hierro que los provoca y mueve,
y en tensos aeroplanos de plumaje tajante
recorro la nación del trabajo y la nieve.

.................................................
.................................................

Basta mirar: se cubre de verdad la mirada.
Basta escuchar: retumba la sangre en las orejas.
De cada aliento sale la ardiente bocanada
de tantos corazones unidos por parejas.

.................................................
.................................................

Ayer iban sus ríos derritiendo los hielos,
quemados por la sangre de los trabajadores.
Hoy descubren industrias, maquinarias, anhelos,
y cantan rodeados de fábricas y flores.

Asiste al milagro de los hombres de ayer que se renuevan. Los apergaminados rostros de los viejos, con barbas y cabelleras de profetas, que bajo milenios de ultraje andaban con la espina dorsal quebrada, se han erguido al cabo de una maravillosa jornada.

> Y los ancianos lentos que llevan una huella
> de zar sobre sus hombros, interrumpen el paso,
> por desplumar alegres su alta barba de estrella
> ante el joven fulgor que remoza el ocaso.

¿Y la juventud? ¿Y la juventud de Rusia, que con fuego arcangélico perpetúa el enlace del presente y el futuro, con la luz superior que el fervor les ha puesto en la sangre, ungidos por la labor anunciadora de un tiempo más dichoso?

> La juventud de Rusia se esgrime y se agiganta
> como un arma afilada por los rinocerontes.

Pero ve más allá de lo que a simple vista se ofrece. El poeta está soslayando las magnificencias soterradas y vincula la fraternidad, la trepidante devoción que predomina sobre lo meramente visible de la construcción soviética. El pueblo que ha roto las cadenas de la esclavitud, no se duerme ni se encierra en la alegría de sus triunfos; al contrario, su mirada se vuelve hacia España para ayudar en la salvación de su destino. Alcanza a Miguel Hernández esa llamarada de concordia. Los trabajadores preguntan por España. Los escritores preguntan por España. Las mujeres preguntan por España. Es como si el corazón de esa gente latiera al unísono con el corazón de la gente española. "Esa gente siente la guerra de España como si fuera suya", escribe. Y por eso el Español Eterno ve en la comunión de ambas naciones la garantía para el resplandor de los días dichosos de mañana:

> Rusia y España, unidas como fuerzas hermanas,
> fuerza será que arrolle las fauces de la guerra.
> Y sólo se verá tractores y manzanas,
> panes y juventud sobre la tierra.

Nada parece alejarle, y sí aproximarle más a la patria distante. Todo lo que ansía es recoger fertilidad para volver a darla. Su corazón palpita en Rusia, ve, se inflama en la emoción; sus pensamientos, entre tanto, cuentan minuciosamente los días hasta el punto de gozar ya del regreso. Está demasiado invadido por su clima como para sentirse despegado, una hora siquiera. "No hay nada como España" había sugerido ya desde París. Acaso sea porque, salido del fragor de la guerra, llevaba todavía aquella desenfrenada visión que suele quedar prendida en quienes enfrentaron las tempestades. Vive palpitante, alerta al frenesí de los sucesos ibéricos. Ese descanso en el extranjero es para él casi un esfuerzo, un paréntesis penoso. En grado menor le ocurre lo que en su primera visita a Madrid: se desesperó de nostalgia. No le apetecían las comidas extranjeras, tan amarrado a su vocación rural como estaba; supuso el horror de los inviernos nórdicos; Estocolmo le irritó; París no acabó de cautivarle. Es el campesino fuera del surco. Y repite el "sólo tengo ganas de volver". ¡Volver! ¡Volver!

La efervescencia del mundo soviético deja en él impresiones indelebles. Paseó, temblorosamente, entre nieves y abedules. Se completó de un esplendor distinto. Las nuevas aguas sonaban bajo sus pisadas e impregnó sus ojos de una claridad cargada de significaciones.

En los primeros días de octubre abandona Rusia, de nuevo rumbo a las trincheras, a la confidencia del barro y de la llama. Inmediatamente se reincorpora al ejército, luego de haber visitado a su mujer en Cox. Está satisfecho y dichoso. Los soldados escenifican sus pequeñas piezas de teatro, escritas para ellos.

Y como está nuevamente entre los suyos, su paisaje pasional también se ensancha y se eleva maravillado: le nace el primer hijo, Manuel Ramón. La pesadumbre de la guerra y la felicidad por la noticia celebran una extraña boda en su alma. Está radiante y nada amargo puede salirle al paso. Ahora no puede perder. Vuela, salido de sí mismo, hacia la zona de la ilusión y la esperanza en esos días. El ansia de amor se eleva, insuperable. Ha conquistado el reino de la paternidad y el éxtasis le posee. Entre tanto paisaje de muerte, la vida se trueca en armonía. Las sombras han dejado paso a la aurora.

En su ausencia ha aparecido *Viento del pueblo.*

—¡oh, qué hermoso es llegar y enterarse del cálido acogimiento que se le dispensó en su ausencia!— Y para que el año acabe lleno de plenitudes, la sección valenciana de la Alianza de Intelectuales auspicia un acto en su honor en el Ateneo. Se le erige en el primer poeta de la guerra. Miguel experimenta tímidamente el jubiloso halo de la gloria.

Entre la dicha del regreso, la obra y el nacimiento del hijo, trepidan sobre España cascos de fragorosa inclemencia.

## LA VOZ ENTRE LA PÓLVORA

*Vientos del pueblo me llevan,*
*vientos del pueblo me arrastran.*

Desde el primer minuto de la guerra sintió Hernández el llamado del canto, llamado que obedeció, concentrado como estaba en las palpitantes refriegas de la vida política española. Las mejores inteligencias, sufriendo el empellón en carne propia, en un acto de absoluta sinceridad para consigos mismos y para con su pueblo, atendieron unánimes a la voz de su conciencia. La hora del deber había sonado; Miguel Hernández quiso cumplirlo no sólo en el trasluz de su literatura sino vistiendo el uniforme de miliciano, como un soldado más, anónimo, en las trincheras. El poeta-pastor ascendía ahora a poeta-soldado. Así su poesía, de allí para adelante, sufrirá las salpicaduras del barro y el sudor cotidianos; poesía nutrida de su esplendor inmediato; cedazo de materiales tan reales que no se sabe dónde acaba su sonido y dónde comienza el de la vida. Tactando, olfateando el misterioso perfume de esos años, con caídas y triunfos inabarcables, maduró los vibrantes poemas de su libro *Viento del pueblo,* que es como un registro, en transfiguración, del tiempo español agónico y esperanzado.

Para que llevaran el soplo de la intensidad y el entusiasmo cabales, sostenedores de su vuelo, se le tornó necesario participar en la lucha misma, empaparse de sus vivencias inmediatas, vivencias que ninguna imaginación puede suplir, por más plausibles y puras que las intenciones sean. Las agitadas olas lo rodearon; a ellas se arrojó con enardecida y elemental violencia, como para agotarse en una sola jornada; fuerte y entusiasmado, porque no tenía esa ligera fatiga, atemperadora de las pasiones, que desdibujan y aplacan las explosiones juveniles con los años. Era la imagen viva de la juventud que se purifica en la chispa, juventud que podía experimentar los acontecimientos desde su propio centro y actuar en favor de las ideas que se formó de las cosas. Precisamente porque sus palabras respondían a una visión propia que tenían como punto de apoyo esas ideas, su poesía ostentará un sello de legitimidad y un tono imposible de reprochar.

Se sintió, desde la primera hora, parte integrante de esa lucha. Se sabía una brizna llevada por el vértigo al que se había arrojado. Toda su vida pasada, sus orígenes y sus raigambres, le comprometían a esa conducta.

> Acércate a mi clamor,
> pueblo de mi misma leche,
> árbol que con tus raíces
> encarcelado me tienes,
> que aquí estoy yo para amarte
> y estoy para defenderte
> con la sangre y con la boca
> como dos fusiles fieles.
> Si yo salí de la tierra,
> si yo he nacido de un vientre
> desdichado y con pobreza
> no fué sino para hacerme
> ruiseñor de las desdichas,
> eco de la mala suerte,
> y cantar y repetir
> a quien escucharme debe
> cuanto a penas, cuanto a pobres,
> cuanto a tierra se refiere.

¡Y cómo no iba a cantar de esa manera y no tener esos gestos, si allí estaban todos los suyos, los toscos rostros de tierra y de piedra, los de su misma cepa entrañable, la gente sencilla y trabajadora de cuyo esfuerzo dependía la aurora de mañana! El poeta estaba en su elemento.

Su *Viento del pueblo* le quitó de sí mismo.. La gesta española impulsó a su rayo sobre otras cumbres. Consciente de su labor, sintió como primer deber hacerse entender por la gente a quien se dirigía: los soldados —obreros, campesinos— de la resistencia al fascismo. Debía hacerse comprender por todo el pueblo. Para eso, como los grandes poetas nacionales del pasado, tenía que estar su poesía penetrada, saturada, envuelta por las vivencias y la sangre del cuerpo social que cantaría y al que dirigía sus flechas. Hasta cierto punto, el pueblo mismo prepararía sus fermentos. El poeta los decanta y los vuelve a arrojar al mismo caldero de donde procedieron. Es el conjurador de los sentimientos que prevalecen sobre todos; su individualidad los agavilla y los expande. Abandona necesariamente parte del lenguaje que se forjó para sí, y pasa a emplear el que le franquee las puertas del entendimiento de los más, es decir, trasciende del fracaso al que, en alguna forma, le fija el aislamiento y la vanagloria de la torre de marfil en la que, en esta o aquella medida, desmaya sus energías. Se rescata para sí y para su pueblo; para sí, saliendo de sí, abriendo sus ventanas al aire fresco que afuera (en la vida) respira; para el pueblo, hacia el que se tienden sus manos generosas, pasando a ser el vocero de sus inquietudes y sus ansias. Su poesía es entonces río donde se abreva la sed de miles de personas, espejo que refleja su desazón y sus ascensos. Poesía popular, de fuente noble y alto vuelo, como lo fué el Popol Vuh de nuestra América o el Cid famoso de expandida potencia.

¡Qué bien comprendió Hernández el alcance de su apostolado! Lo dice en la dedicatoria que abre el libro: "Los poetas somos viento del pueblo. Nacemos para pasar soplando a través de sus poros y conducir sus ojos y sus sentimientos hacia las cumbres más hermosas. Hoy, este hoy de pasión, de vida, de muerte, nos empuja de un imponente modo a ti, a mí, a varios hacia el pueblo. El pueblo espera a los poetas con la oreja y el alma tendidas al pie de cada siglo". Y en párrafo precedente: "A nosotros, que hemos nacido poetas entre todos los hombres, nos ha hecho poetas la vida junto a todos los hombres". Esta responsablildad atravesó la infinita sucesión de los tiempos. Esta poesía es esencia del avatar humano; de lejana antecedencia proceden sus resplandores, en sagrado peregrinaje a través de las edades. Mientras la fe y el entusiasmo alienten, el fuego pasará de mano en mano sobre la tierra, en larga consumación de claridades. De nadie es privativo su secreto. "Nosotros venimos brotando del manantial de las guitarras acogidas por el pueblo, y cada poeta que muere, deja en manos de otro, como una herencia, un instrumento que viene rodando desde la eternidad de la nada a nuestro corazón esparcido. Ante la sombra de dos poetas nos levantamos otros dos de mañana. Nuestro cimiento será siempre el mismo: la tierra. Nuestro destino es parar en las manos del pueblo. Sólo las honradas manos pueden contener lo que la sangre honrada del poeta derrama vibrante". Afirmación, como se ve, de agua clara y profunda.

El tema de la pujanza y el heroísmo ha ganado a nuestro poeta; no ha escogido él la atmósfera donde crear: se le ha dado. Apenas interpretará toda la magia que estremece cuanto pisa. Su cristal recogerá lo viviente que le rodea. Las cálidas olas le han envuelto y está preparado para recibirlas; ningún nubarrón interno le interferirá la visión límpida y arrojada. Los hechos podían resbalar sobre otras miradas que no tuvieran capacidad de aprehender lo que de vitalidad y poesía llevaban, en él tendrían sonido y resonancia. Tenía el órgano dispuesto a recoger el eco y además del júbilo necesario para ver la grandeza del heroísmo y el sacrificio, fuertes y jugosos materiales para su espíritu hambriento de humanidad. ¿Por qué no iba a detenerse a cantar las gestas del pueblo, si era capaz de transfigurar el ronco torrente? Cosa triste cuando se prescinde del barro augusto de la vida. Él fondeó allí sus anclas: en la vida, en la vida sin quietud ni amilanamiento. ¿Y por qué no iba a ver y cantar el drama de su patria, en trance de creación y empuje, cruzada de tempestades, enfrentando temporales sin cuento? No era de los que apartan los ojos de los hechos graves; por el contrario, lo suyo era lanzarse en medio del holocausto y avizorar en su vorágine. Todo le impulsaba a esa conducta limpia y admirable: instalarse en ambos platillos de la balanza y no escamotearse a ninguna de las verdades, claras o sombrías, de lo que más amaba: la vida.

Eso mismo: vida. Por eso cuando vió sacudirse a los elementos todos, cuando el paisaje y el hombre se desenfundaron para mostrar la medula sangrante, la veta esencial, como un telón fantástico, se le reveló la fuerza combativa, la musculosa y soberbia condición de su ser joven y explosivo. El poeta despertó al llamado de la realidad circundante. Y se arrojó a la brega con algo de salto elemental y bárbaro, obediente al estímulo, iluminado y serio, manteniendo en vilo la respiración imperturbable.

¡Cómo no despertar y emocionarse ante el sacerdocio de su pueblo que en Madrid, por ejemplo, a pesar del frío cortante, de la trabucación gélida de los días, sin calefacción que mitigue el suplicio, prefería respetar los árboles a procurarse una hora de reposo tibio con sólo derribarlos! O que llenaban las salas de los teatros, festejando las comedias, apetente de luz intensa, en pleno cerco de las tropas fascistas. O rescatando de las llamas las pinturas de los museos, en pleno bombardeo del palacio de Alba, salvando los tesoros artísticos con riesgo de su vida. O que al tiempo de apilar los sacos de arena para la defensa, ponía a salvo con el mismo febril entusiasmo las obras maestras del Museo del Prado. O, en Murcia, protegiendo las reliquias eclesiásticas de la catedral preciosa. ¡Ah, no! No se podía concebir la indiferencia. Por gravitación lógica se inclinó su voz al canto heroico. Al gran canto que el momento exigía.

¡Vertiginosos días esos en que se arrodilló para cantar a su pueblo! Impetuoso, con el pulso galopando, acuciado por una presión extrema, escapándose al parecer de sus habituales zonas emotivas, transgrede sus propios límites, traspasa sus medidas. Es así cómo, en una temperatura lavada por la pólvora y la vibración ardiente, su poesía se llena de un irrefrenable poder, casi rabioso, de levantar sus líneas hasta tornarse carnal, palpable, pétrea, y salir andando en su envoltura de pasión, de imprecaciones, de sagrados voceos. El molde de su poesía se resquebraja; aristas ariscas presionan la forma y por doquier, peligrosamente, los desmesurado parece atentar contra el equilibrio. Los pensamientos se agitan y contorsionan las paredes del verso; el agua hace estallar la copa en una convulsión de alumbramiento; todo queda en vilo por el incesante frenesí. Como de un arco tenso salen las interpelaciones nerviosas, la instigación al valor, la furia, el arrebato. En el paisaje terrible de la guerra, en el purgatorio diario y el sacrificio sin cuento, sus ejes giran con vértigo y su sensibilidad se calienta hasta enrojecer. Todo está dominado por el exceso y el arrebato; su energía fermenta y se embravec. Su mirada se posa en el centro candente donde ya no se delimita la muerte y la vida, y las palabras se llegan aquí o se cincelan, aceradas, allá, según quiera expresar su duelo o su entusiasmo. Se le ha brindado la ocasión de precipitarse en todos los escalones de la emoción. Y es así como, animoso y rebelde, desgarrado y poderoso, fecunda su obra. La tensión le embriaga los martirios y los goces. Y los 1.545 versos tormentosos del libro, se centran en una unidad avasallante, en ebulliciones e impactos primigenios.

Esgrimiendo el argumento de la invalidez de los temas circunstanciales, se ha intentado rebajar el valor de estos poemas. Vano intento. No vale la pena responder a afirmaciones de esa laya. Lo importante es señalar que todo cuanto le sirvió de material para su canto —la gran gesta, en esencia— fué revestido de un calor particular a través de la visión propia que tenía de las cosas y los sucesos, como hemos ya afirmado. Su modo de expresión resultó de esa visión que le era característica. Por eso lleva el sello de su personalidad y de su estilo, al punto de que nadie que leyera sus poemas de antes o de después, podría dejar de considerarlos como parte esencial del conjunto de su obra, desenvuelto el fervor dentro del cauce de su propio sentido. Entre la infinitud de romances que en volandas por entonces circulaban, los suyos tienen un color inconfundible: la eclosión de lo hernandiano. Ningún verso escapó a esa travesía por el río de ésa su visión inquieta; sus vigorosos alejandrinos lo traducían; los romances tienen tiradas de ese fervor sin aminoramiento que era lo altivo y vigoroso suyo.

Su pujanza total ha sido volcada en esa hora viril; naturalmente, su labor lleva la marca de la precipitación que no da tiempo a que se atempere el hierro. Mas, eso siempre ocurrió con él —con la sola excepción de su segundo libro—; las duras preocupaciones del estilo sufrían la presión y la urgencia de las ideas que no siempre daban lugar a la lenta laboriosidad que les cercene los aditamentos tumultuosos.

Apoyándose en la severa tradición del Romancero, levantó el arquitrabe de los suyos, los más acerados que esa guerra civil produjo. Llevan una autenticidad abrumadora. Y no sólo por haber hurgado en aquellos sólidos cimientos clásicos, sino por la sabia distribución que había en ellos de los elementos nuevos que la poesía reciente acarreaba. Cuando se bañó su rostro en el aire grave de la guerra, tenía ya la exactitud de expresión que ricas expe-

riencias anteriores le acarrearon. Nada había en su estro de la fragilidad advenediza de los que se improvisaron al apremio del momento. Desde el primer instante se descubrió su pulso seguro. Brotó ya infundido de otros calores superiores que le arroparon con el firme conocimiento del oficio. Había bebido en las aguas profundas de la poesía de Neruda, de Aleixandre, de Alberti, de González Tuñón. Con eléctrico contacto, libró a su lenguaje de las tentaciones y las segregaciones inútiles. Ciertamente, vale recordar que en una de sus frecuentes visitas a Madrid, conoce Miguel los originales de un libro que profundamente le impresiona. Algunos de los poemas los había escuchado por boca del autor en el Ateneo. Era "La rosa blindada", de González Tuñón. Conocía ya, por copias que el mismo autor le dejara, "La libertaria" y "El tren blindado de Mieres", el primero de los cuales alcanzara vastas resonancias. A Tuñón le leyó Hernández sus primeros poemas de la guerra y éste —¡oh, fervor en comunicación, en que se intercambian señales los milagros de la amistad, en lección animadora!— le entrega a su vez los primeros relámpagos poéticos de "La muerte en Madrid", que a la sazón gestaba. Eran las largas horas del ardimiento en sordina, entre quienes golpeaban las herramientas en canteras de inexplorada maravilla, y los prodigios retoñaban como para soliviantar la sangre batalladora. Esas tertulias permitían reconocerse las tensiones íntimas. La última vez que Tuñón vió a Miguel Hernández, éste retornaba al frente en el mismo tren en que iba el poeta yugoslavo Milán Jeranci, que no regresaría. Tuñón dedica a Hernández una admirable copla:

No cantes ni cante jondo
ni coplas del Romancero.
Canta la Internacional
que ya cambiaron los tiempos.

Por otro lado, le latigueaban los rugidos dramáticos de *España en el corazón*, de Pablo Neruda, cuyos primeros cantos le enseñara éste y cuya sintaxis excitante marcó improntas a su recorrido. Desde hacía rato pesaba sobre él, como hemos visto, la sustanciosa magistratura del chileno.

Piedra a piedra fué levantando así su hosanna a

los respiros sorprendentes del pueblo, exaltando su valentía. En los mismos campamentos recita sus poemas, poemas con el color subido de un caldero a toda marcha. Intenso murmullo entre los soldados. Una aprobación conjunta corroboraba siempre sus palabras. Estas escenas se repitieron a diario. El poeta compartía la magra ración cotidiana que se distribuía a los soldados; conversaba con ellos, dormía sobre sus mantas, acompañando su vida. Así conoció Hernández esa extraña sensación de júbilo que deja la conciencia del deber cumplido. Esos hombres, con las cejas fruncidas por el esfuerzo del pensamiento en trance de comprenderle, sabían que ese muchacho espléndido era su poeta, su compañero de ruta. Incomparable dicha se le depara al recibir el calor tibio y fraterno de esos ojos, con inocencias de niño sobre los rostros duros y curtidos, ojos que saben en quién confían su adhesión y su cariño; dicha que nunca conocerán quienes no se ponen a la altura de los señeros emprendimientos populares.

Cantando espero a la muerte,
que hay ruiseñores que cantan
encima de los fusiles
y en medio de las batallas.

En verdad allí está toda la gente de su infancia, de huérfana y terrureña pobreza. Nunca pensó Miguel que allí estarían todos en esa hora, desempolvados del letargo, redimidos por el heroísmo, dependiendo de su solo esfuerzo el porvenir de España. Porque una cosa es imaginar al pueblo en una encrucijada de insurgencia noble, y otra cosa es presenciarlo. ¡Qué inmensas y sublimes sus posibilidades cradoras! Leyes que han sido previstas se trastrocan al peso de su paso noble. Lo que parece increíble sucede. Toscos, silenciosos, desarrapados, de esos hombres depende la suerte de mañana, el porvenir de la vida. Se sintió uno de llos.

Y porque se hermanó demasiado a su destino luminoso, denostó a quienes se abotargaban en una displicente espera rezagada. Veía el otro lado de la medalla, el tóxico de la pusilanimidad y la cobardía que obstruían, como hierbas dañinas, la fertilidad de esos meses bravos. E imprecó fieramente, con dura voz condenadora, crecida en un solar desprecio hacia medrosos y arredrados; voz colérica, fértil, salvajemente bella:

> Vuestro miedo exige al mundo
> batallones de murallas,
> barreras de plomo a orillas
> de precipicios y zanjas
> para vuestra pobre vida
> mezquina de sangre y ansias.
> No os basta estar defendidos
> por lluvias de sangre hidalga.
> que no cesa de caer
> generosamente cálida,
> un día tras otro día
> a la gleba castellana.

Así también, de fiebre en fiebre, exalta cuanto era diamante puro, lo que ponía luz sobre el aire apretado. Se hacía preciso sembrar la gratitud generosa. Así, cuando el 19 de julio, cuando La Pasionaria, expresión central de la más alta claridad española, profirió la consigna inmortal de "¡No pasarán!", como respuesta al fascismo, presintió Miguel Hernández que un indeleble fuego se le posaba en los hombros. E hizo de Pasionaria, "vasca de generosos yacimientos", el símbolo de la convicción sin retaceos en la victoria. De la victoria y de la firmeza, con presteza de confianza filial levantando los ojos agradecidos:

> Dan ganas de besar los pies y la sonrisa
> a esta herida española,
> a aquel gesto que lleva de nación enlutada,
> y aquella tierra que de pronto pisa
> como si contuviera la tierra en la pisada.

Altivo y fraterno se dirigía, sobre todo, a esos pobres y —por tantos siglos— engañados, vendidos, vapuleados, que en un bautismo de sangre y una coraza de fe, sobrepasaban su propia medida humana acogiendo con cariño, gratitud y provecho, toda justa palabra que les señalaba un sendero.

Hernández les daba el pan de sus fuertes acentos, y el pueblo —ávido y humilde— lo tomó por viandante de su mismo camino, vió en él a su poeta, al que compartía su fervor y su odio. Gloria que cupo por eso mismo, por dar sin que midiera lo que de sosiego personal en ello fuere: recibió como pocos el amor de quienes eran suyos. Por eso también, entre tantas cosas tristes y penosas, profirió su grito de estímulo y alegría, de alegría torrencial y rediviva, el sentimiento exultante que trae color de madrugada en mitad de la noche, que es la inevitable expresión de la salud de la vida. Su "Juramento de la alegría" es el clavel fulminante que deja entre tantas cruces, para que los hombres no desfallezcan, para que la sientan presente y acompasándoles el latido, para que jamás renuncien el disfrute de su dicha.

La alegría es un huerto del corazón con mares
que a los hombres invaden de rugidos,
que a las mujeres muerden de collares
y a la piel de relámpagos transidos.

Finalmente, Miguel Hernández dirigió su voz a la zona emotiva donde despiertan los grandes sentimientos íntimos. Destinó su canción a la compañera ausente —gota de rocío sobre un paisaje de ceniza—, sin dislocarse del espacio de su deber y sus combates. Profirió esa canción, precisamente para reafirmar los dictados de su corazón y se viesen al desnudo los latidos puros que la lucha no hiciera sino ahondar. Canción épico-lírica maravillosa. Canción de juventud que no abandona sus sueños de festividad dichosa, de seductor sonido con desembocaduras confiantes en un porvenir feliz y victorioso. Canción de espacial progenitura, en cuyo ruedo todas las alas de la sangre se alborotan al compás de un estremecimiento cosechero. Canción que orla de regocijo el rostro amado, lejano; de fe en el porvenir, en la continuación de la vida por la sangre del hijo que llega "envuelto en un clamor de victoria y guitarras", ya que él —el hijo— está con el vientre sembrado "de amor y sementera".

En esa *Canción del esposo soldado* se alza su voz como una luz elástica que adivina en medio de las sombras la aurora erguida, dando espacio seguro y fértil al descanso que ha de suceder a la tempestuosa empresa de guerrear.

Es preciso matar para seguir viviendo.
Un día iré a la sombra de tu pelo lejano

y dormiré en la sábana de almidón y de estruendo
cosida por tu mano.

No se acabaría de comprender el *Viento del pueblo*, sus melodías distorsionadas de repente por el tajo cortante de un ritmo brusco, feroz, de explayación violenta, si no lo viéramos como el itinerario de un corazón alumbrado por sensaciones encontradas. Predomina la impresión de una fuerza primitiva; se escucha la palpitación de las olas creciendo en agitado murmullo llevando dentro de sí mismas otra ola más pequeña, calma, triste, melancólica. Tierno en sus ímpetus; impetuoso en sus ternuras. Una cuerda tensa, en suma, con el ritmo continuado de todos los padeceres de su espíritu.

El libro quedó acabado en pleno auge de la tormenta. Por eso mismo, no fué un recuento completo todavía, sino, en medio de ella, una columna inacabada con llamadas y avisos videntes en su cumbre.

## LUCES Y SOMBRAS

*De sangre en sangre vengo,*
*como el mar de ola en ola...*

Miguel Hernández está de regreso en España. Su vida ha de ser cogida por apretados desvaríos, por alegrías y oscurecidos abismos. Diciembre se acerca. Nueve lunas han transcurrido desde el día aquél en que hizo estallar estrellas en el lecho nupcial, rebosante de futuro el vientre bienamado de la esposa. Nueve lunas han transcurrido, y entre eventos de toda suerte, le llega el instante bravo y dulce de la alegría grande. Un gran fruto va a desprenderse y las piedras tiemblan con escalofrío; el acontecimiento se transmite como una onda entre las cosas y la modesta casa de Cox hierve con tempestuosa fuerza. Sonríe el hombre; la mujer sonríe. Va a dar a luz el día. Miguel, que está más niño que el que va a nacer, retuerce su impaciencia ante la paciencia de todos; Josefina se muerde los labios y entorna los ojos presintiendo que el mundo se atosiga al calor de su anhelo.

Con incesante presión se venía preparando esa alegría, inmensa por demasiado esperada. Cuando llegó, rompió todos los velos oscuros y quedó vibrando en medio de esas dos vidas que se anonadaron ante su presencia. La dicha del primer hijo se precipitó con tanto poder abarcador en medio de los quebrantos de la guerra, que ambos, por una vez, olvidaron los sinsabores. Manuel Ramón, ese 19 de diciembre de 1937, con su primer llanto trajo a la existencia de sus padres la necesaria y acabada hermosura. Por una única vez la paz rumoreó plena en sus rostros en alegría que el poeta cantó como sobrehumana y milagrosa: "Fué una alegría que dolió de tanto encenderse, reírse, dilatarse...", "Fué la primera vez de la alegría, la sola vez de su total imagen". Nunca fué tan dichoso como cuando lo levantó en brazos, semilla de su semilla, fruto de su formidable varonía. Y henchido como estaba de esperarlo tanto, su canto se eleva como nunca al abrigo del entrañable sentimiento. Escribe *El hijo de la luz y de la sombra* en que su voz raya a una elevación de inusitada grandeza, en donde lo anticipa en penumbras, en su estado de sombra anticipada, siendo primero "sombra y ropa cosida" en el centro de la medianoche, para luego esperarlo en la hora del parto, "la más rotunda hora" y acabar celebrándool como "generador sustento" de sus vidas. Ese hijo no es sólo carne de su carne, es el tributo que ofrece a la continuación de la especie, a la respiración del mundo.

Por eso también cuando vuelve los ojos hacia Josefina trasciende cualquier gratitud circunstancial y le manifiesta su amor de totalidades: "No te quiero a ti sola: te quiero en su ascendencia / y en cuanto de tu vientre descenderá mañana", porque tiene ya la vista puesta en la eternidad de los latidos. Nunca se acendró tanto como en esa hora Miguel Hernández.

Le pareció que todo lo porvenir sería soportable en razón de esa alegría única. Sólo que esa alegría iba a durar lo que un suspiro efímero. Mas en los meses que siguieron al nacimiento, acción y entusiasmo fueron una misma cosa. Se mueve sin cesar, siendo Cox, en medio de los trajines, el término y el punto de partida. Los senderos de su emoción son múltiples, los de su tarea también. Ya hemos dicho que a su regreso de Rusia se le tributó en Valencia un homenaje como justo reconocimiento a su conducta y a su obra, y que entre los aplausos y el nacimiento del hijo acabó el año 37. A sus ojos se descubren ilimitados horizontes. La felicidad no le posterga sus deberes. Está ahora con el comandante Carlos; con él hace un viaje por Andalucía (alguna crónica suya sobre el campo andaluz queda por ahí perdida). Irradia plenitud, irradia fuerza. Sus poemas son alimento diario de las tropas. Los recita por radio, los entrega él mismo a los soldados. Le han de tocar unos meses de relativa calma. Puede permanecer en Cox, con el sol de su niño en los brazos y el amor de su mujer a su costado. Aprovechando la tregua que le da la guerra escribe *El pastor de la muerte,* y si bien tiene que reintegrarse pronto a sus deberes militares, está feliz, está dichoso.

¡Ay!, qué pronto se le acabará ese reposo. Su cabeza, siempre peligrosa, está flaqueando. Atribuye su enfermedad a su exceso de imaginación y dice que "mientras no se queme por completo no estaré bueno". Una fanática, continua fiebre de creación, unida a una continua actividad, le agota por esos meses; está lleno de una abundancia increíble. Se suceden los originales con una rapidez que pasma; a un poema se sucede otro con una lucidez que no le da resuello ni sosiego. Parece que ha salido de sí mismo para integrarse a su tempestad visionaria. Sus nervios acusan el golpe, próximos al paroxismo. No tiene tiempo siquiera para las depuraciones rectificadoras, tan pleno como está de imágenes y de tensión vital. Su propia energía le destroza y él sabe, más que nadie, que los medicamentos no son sino pobres paliativos y que lo que precisa es cortar el fuego insurgente que le desgasta y lastima.

La dolencia es mitigada por la dicha. Merecía ese alborear reparador en su camino, el íntimo goce que pudiera aseverarle de la hermosa vigencia de su sangre, haciéndole visible su continuación en la descendencia. Nada del desgaste físico que exigirá la guerra, a la que se reincorpora en seguida, podrá aminorar la fogosa explosión de su regocijo. Por una vez gozará de la máxima tensión de los sentimientos; todo ha de empequeñecerse ante la presencia de ese hijo que unge de religioso recogimiento el hogar de los Hernández. A su alrededor la lucha continuaba decretando un temblor deprimente y sordo; como nunca, entre tanto, logró un relativo equilibrio interno que le compensase de tanto amargor vivo, de tanto torbellino impiadoso.

No le es dable un largo reposo. El golpe terrible se precipita. En su ausencia —se encuentra en Alcalá de Henares a mediados del año 38— el niño se ha desnutrido y el organismo débil no resiste. Enloquecido, acude a Cox, y marcha a Orihuela en busca de medicamentos. En vano todo. Manuel Ramón fallece el 19 de octubre y el padre recibe la noticia enorme como un hachazo sobre los hombros. Anonadado por el dolor, imagina que el mundo se ha apagado.

El peso de la desgracia le postra. El viento se ha detenido. La luz no dora ya el paisaje familiar, el rostro de los dos esposos se contrae en el gesto de la desolación más amarga. La habitación común sólo guarda ausencias y escalofríos. Su poesía se inunda, como nunca, de cenizas tristísimas. El recuerdo del hijo muerto ha de accionar ahora en su garganta con obsesionante frecuencia; demasiado presente estuvo como para no dejar en su caída un vacío penetrante que pasó a ser idea fija, pozo aterido sobre la frente acongojada. En la guerra había visto ya a la muerte, cara a cara. Ahora ha podido palparla en su hora de mayor traición perturbadora; a esa muerte que subyacía siempre en su palabra pero que recien ahora invadía su intimidad con fragor lapidario. Y ya no la nombra casi: ya no tiene importancia; no es ya la muerte algo particular que pueda definirse: es la lluvia triste, el campo seco, el lecho sin calor, los labios contraídos y secos, todo a la vez, todo, toda esa sensación de pérdida y desfallecimiento que se siente cuando al corazón le falta apoyo en la tierra por habérsele retirado el latido alegre que lo sustentaba y le daba razón de prevalencia.

Mi casa es un ataúd.
Bajo la lluvia redobla
y ahuyenta las golondrinas
que no la quisieran torva.

En mi casa falta un cuerpo.
Dos en nuestra casa sobran.

Qué impresión de zozobra en todo cuanto dice, en todo cuanto parece enrevesársele en la boca y atragantarle.

Era un hoyo no muy hondo
casi en la flor de la sombra.
No hubiera cabido un hombre
dentro de su tierra angosta.

Él cupo: para su cuerpo
aún quedó anchura de sobra,
y no la quiso llenar
más que la tierra que arrojan.

Aflora en él todo el sentido trágico de su destino, sentido trágico que fué incubándose débilmente, como un puñal subrepticio que iba a parar muy hondo, en los albores de su adolescencia, disponiendo su afirmación con cauteloso avance. Fué creciendo a medida que su vida se internaba en una espesa maraña de dificultades, dándole esporádicos respiros así que sus turbulencias se calmaban al abrigo de una tregua pasajera, precipitándose sobre él con más fuerza a la primera señal de nuevas adversidades. Agazapado en su canto, se adherían misteriosamente a su enorme apetencia de sosiego, contrayéndose como un músculo en lucha en el cuerpo siempre volitivo de su temperamento. Al golpe guillotinador y seco de una desgracia, resurgía sombrío e inevitable. La fatalidad que le persigue y le dobla no procede, a su juicio, de nada extraterreno, del sortilegio oscuro de alguna fuerza extraña. Su sangre es su castigo; en su propia sangre duerme la amenaza, en su rugiente potencia, en su hacha enfurecida siempre en trance de descargar el golpe. Su poema de fechas anteriores *Sino sangriento* no es otra cosa que un examen de las potencias ciegas dormidas en su sangre, esa "trepadora púrpura rugiente" que le "reduce y le agiganta". La sangre le domina y le dirige; la sangre domina y dirige al mundo; cada hombre, cada animal, está sujeto al dictamen de su sangre; su tentativa de integrarse a otros seres no es sino la tentativa de su sangre de integrarse y comulgar con otras sangres.

> Lucho contra la muerte, me debato
> contra tanto zarpazo y tanta vena,
> y cada cuerpo que tropiezo y trato
> es otro borbotón de sangre, otra cadena.

La muerte del hijo le retorna a esa noche de su destino. Su alegría ha sido cortada en trozos; toda la tierra de Cox le parece contener savias de su pedazo enterrado, y así, entre contristado y exhausto, la abandona una vez más como para perderse en la quemazón española.

Retorna al vértice de la acción, que es lo único que puede arrancarle de su pesar ermitaño y servirle de válvula de escape. El retiro no le valió sino para aferrarle en su cadena; en la actividad se descarga de su violenta tortura. La causa de España le gana la existencia. (Se está entreviendo su patetismo, la hoguera alcanza un hervor inusitado.) De pueblo en pueblo Hernández derrama sus excesos. Y se detiene solamente cuando ya el cuerpo no resiste. Acaba descansando en un hospital de campaña, en Benicasín, hasta poder reponer el pulso.

La muerte del hijo y lo que de mortaja va viendo

ya por tierra española, instalan una vibración carbonizada en su poesía. Está creando: vuelve a manar su ritmo incendiado. Como desde el centro de una selva humeante, en línea de elevación levanta el ramaje perturbador de un nuevo libro. Lo titulará *El hombre acecha.* Al fin, el contacto con la poesía y con los hombres de España le secan el llanto de los ojos. Si su físico ha salido perdiendo en capacidad vital, su espíritu ha ganado entre tantas pérdidas y reveses, volviéndose más profundo.

Como siempre ha ocurrido en su vida, la marea de desdichas ha bajado ofreciéndole algún reposo. Si una muerte le ha cercenado el respiro, un nacimiento le equilibra de nuevo, en mutación perfecta. El 4 de enero de 1939, sobre la misma tierra que le arrebató el primero, nace su segundo hijo, Manuel Miguel, y su torrente de ternuras, una vez más, invalida de un solo golpe las tristezas de ayer. De la noche a la mañana, un nuevo sol emocionante se cierne sobre sus hombros. El naciente esplendor le hace olvidar los empellones pasados; sus movimientos reocupan su sitio natural de milagroso encantamiento. Y como cosa suya y mágica es ensoñar un futuro dichoso, olvida en ese trance el tronar de los cañones, la humeante fosa que acabará por devorarle. Habla otra vez de una paz dichosa, que cree próxima, y cree poder volver pronto a su campo y al infinito sosiego que le permitan apartar de su vida las tinieblas crepusculares.

Mas la guerra continuaba segando todo con su azadón demente. Miguel, en medio, con su instintiva plenitud y su pasión enérgica, desencajaba el ceño ante las descargas de ferocidad a su torno. Cada metro de tierra era defendida con la sangre y el heroísmo de los bravos. Aunque en esos primeros meses del año 39 podía ya adivinarse cuán impotente resultaba todo sacrificio y cuán sublime y excelso, por eso mismo, el heroísmo sin cuento.

## RAPTO HACIA ABAJO

*Hoy el amor es muerte,*
*y el hombre acecha al hombre.*

Se le helaba el aliento a España.

Resquebrajábase el albergue de los héroes. Víctima propiciatoria, íbasele acabando su esfuerzo titánico al vislumbrarse la otra cara del holocausto. La paz no podía ser paz, desde luego, sino duro martirologio en el que los más caerían y los menos comenzarían una pauta de lágrimas.

Miguel Hernández se encontraba en el sur, esperando, al inicio del desmoronamiento, los primeros ejemplares de su segundo libro de guerra *El hombre acecha,* que a la sazón se imprimía en Valencia, bajo el cuidado de la Subsecretaría de Propaganda. Mas también el libro sufrirá la cuota de mutilación y de pillaje enemigo, como un ser vivo a quien no se le otorga ya el derecho a la vigencia: peligroso, peligrosísimo con su carga de elevación preciosa. Y así quedó, a medio hacerse, con un fragmento de la temporada libre en mitad de sus páginas y con la otra mitad tiznada con el calor del tiempo cautivo que acechaba, sin acabar de encuadernarse, como pagando la osadía de pretender vivir en la adyacencia de la derrota. También al libro se le partió el latido.

El fascismo conquistaba Madrid. Era el comienzo de la usurpación, de la falacia, de la traición, de la mentira enorme. Ese mismo día, Miguel, a quien no perdonarán el haber levantado su voz como carámbano justiciero en la puerta de esos años, busca la manera de escamotear la pesadilla. El Ejército Republicano está a merced de terribles represiones. Un alarido de muerte retumba en la península. Había que escapar al lazo que se cierra.

¿Qué se le ocurre entonces a Miguel? Buscar refugio en casa de un amigo sevillano. Y hacia Sevilla corre, teniendo en las pupilas el miraje de la ciudad que cantó en su hora de fervor por Andalucía. ¿Acaso allí mismo no había imprecado ya? ¿Acaso el viento no le devolvía el eco de sus propias palabras de ayer?

Espadas impotentes y borrachas,
junto a bueyes borrachos,
se arrastran por la eterna ciudad de las muchachas
por la airosa ciudad de los muchachos.

No lleva ahora otra cosa que la conmoción de su quebradura, del titubeo que produce el golpe en el primer momento. Ha perdido el contacto con los suyos. Se lo reconoce por el mono azul de miliciano, del que no se desprende sino después. Lo viste aún, orgullosamente, como prenda desafiadora.

Estamos en la primera hora en que sus ojos enfrentan el fulminante desgarramiento. Crispaciones a su alrededor; necesidad de instinto clarividente para pesar sin error las decisiones, por donde se mire; surcos revueltos en la tierra y en las almas, por doquier. ¡Qué fortaleza se requiere para ver a un pueblo en trance de desangramiento, más aún si el pueblo es ése junto al cual estrenó un hombre su vocación vindicadora!

En Sevilla no encuentra al amigo que busca. La buena suerte está ausente de su horóscopo. La orfandad le pisa los talones. Sevilla, para él, será el sitio del azoramiento inicial, del comenzar a ver los borrones de las casas metamorfoseándose en cárceles. No encuentra en Sevilla la posada consoladora; antes bien, se le aclara la visión real de la situación en que se encuentra.

Comienza entonces para Miguel Hernández el minuto de terror más áspero, el principio de un suplicio devorante, su hora nómada por las calles de esa ciudad, cuyas fachadas se cernían como una fuerza aniquilante y espantosa sobre su vida. Ninguna puerta se abre a su paso; no encuentra un abrigo para su fatiga. Aquel peregrinar suyo tiene algo de trama indescifrable. Infinitamente solo, deambulando y mutilando su alma entre la luz doliente de la ciudad derrotada, se fué tejiendo el hilo de Ariadna de su destino, destino breve pero forjado a la hechura de la avasallante fuerza que gobernaba su vida. Ninguna mirada lo reconoció en su hora desesperada. Y cuesta pensar cómo el rayo de su generación cruzó esos poblados, sabiendo que la más mínima imprudencia, el desliz más pequeño —¡él, que cometía tantos!— podrían desmoronar sobre sus hombros una imprevisible tragedia. ¡Noche infinita la de esos instantes de padecimiento anónimo! ¡Cuánta humillación y cuánta agonía le carbonizaron los labios en el sólo esfuerzo de no callar, de no gritar su esperanzado deseo de vivir y de salvarse!

Su calvario comenzó en ese tenebroso laberinto. Le rodea el terror y sus pasos atraviesan las calzadas, presintiendo que le siguen índices traicioneros. Ya se aproxima a una puerta, ya ve una luz cintilante por las rendijas, ya ve aproximarse la mano desconocida que ha de franquearle el umbral, ya desaparece el nudo que le anilla el corazón palpitante... pero nuevamente el silencio le precipita en la formidable noche de la soledad que le persigue. El hilo vital se va cerrando. ¡Oh, qué enorme esfuerzo para no desfallecer en esos instantes! ¡Cuánta riqueza elemental acuñada dentro para no caer quebrado para esquivar el agobio que se adueña de los nervios, para mantener la decisión interior de salir triunfante de la encrucijada! Está él hecho de aleaciones sólidas y el padecer furioso nada puede contra su medida de coraje indecible. ¡Cuánto de voluptuoso debe haberse encerrado en ese juego de escondite y huída, de gestos furtivos, de acechanzas arriesgadas para él, a quien se reveló temprano la sombra pujante de los extremos peligros, de los aguijones dolorosos!

Abandona Sevilla. Transcurre todavía un mes de perplejidad y de zozobra. Parece ser que en ese intervalo de tiempo llegó hasta Alicante, es decir, precisamente adonde no debería ir. Es que también le sangra la preocupación por los suyos. ¿Encontró allí a Josefina? ¿Vió a su hijo Miguelín? ¿Cometió la imprudencia de acercarse, como años atrás Federico García Lorca, a su casa, sin pensar en la dramática amenaza de ir adonde todos le conocen? Proceder ilógico en quien no arroja de sí la sombra de la inquietud que prepara, secretamente, la celada. ¿Acaso buscó a los suyos para sostenerse? Sus andanzas en ese mes tienen visos de salto funambulesco en el vacío. Lo cierto es que, con humeantes cenizas alrededor, cenizas que se enrevesaron para mostrar el esqueleto cruento del drama español, pasea de un lado para otro su desconcierto ingente, sin saber dónde queda el paraje en el cual tomar una resolución definitiva. No se decide a pedir asilo en ninguna de las embajadas extranjeras, abarrotadas de fugitivos; tal vez sólo quiere pasar ignorado y perderse como una semilla más en la inmensa tierra destartalada.

Ahora está a punto de jugarle una pasada a su destino. Desde Huelva, en donde se encuentra a fines de abril, decide abandonar España y vuelve sus ojos hacia Portugal. Por allí ve la salvación. ¿Qué otro camino le queda? ¿No es suficiente ver la caravana famélica de los que pasan a su lado para comprender? ¿Acaso la persecución no alcanzaba a todos, incluso a los neutrales? (¿Había neutrales?) La represión, como el fuego de un huracán, satura en desborde codicioso todo cuanto mejor queda en España. El estampido de los fusilamientos es una música continua. Las cárceles desbordan. En cualquier cubículo se improvisa una prisión tenebrosa. Sangre bizarra salpica los muros de las ciudades. Es la tiniebla. El caos. El sagrado furor expirando bajo la barbarie. ¿Qué resta entonces? Huír. ¿Adónde? Incuba una esperanza heroica. ¿Abandonar España? Sea. Y se decide.

Con el duelo en las entrañas —¡un duelo más!—, sin otra resistencia que la de su voluntad, marginando los montes que tal vez ya no vería (no es menor el horror de echar una última mirada a la tierra que se deja que el horror de una muerte próxima), aterrado por la enormidad de su propia decisión, y triste, llega Miguel hasta la frontera. Lo imposible parecía realizado.

Mas las dictaduras tienen ramificaciones funestas. Ellas saben que el aliento de la libertad contagia. Los héroes y los poetas pueden producir un suntuoso desorden. La hermosa y pequeña Portugal, vapuleada a su vez por años negros, tiene su verdugo. Y este verdugo ha levantado un dique. La policía de Salazar, a la que fué delatado, lo prende. Miguel Hernández es devuelto a la España franquista.

La guerra civil —¡ah, la guardia civil otra vez!— se encargará de él en adelante, esa misma guardia civil, sí, esa misma que años antes lo había detenido y befado. (María Teresa León lo ha referido: —"Un caso idéntico [está hablando de la detención de Bécquer por la guardia civil. ¡Pobre Bécquer!] ocurrió, ya en los años presentes y sobre las orillas del Jarama en vez de sobre el Tajo, al joven admirable, poeta noblemente muerto, Miguel Hernández.

Tampoco él iba vestido con brillantez, pues seguía usando la ropa popular de pana, propia del labriego. Sentado sobre la hierba, estaba mirando los toros bravos que allí mansamente pastan las orillas. Llegó la guardia civil a interrogarle. —¡oh esos frente a frente escandalosos del cerrilismo con la poesía!— Y se lo llevaron preso, esposado, para que no incurriese otra vez en la ridícula costumbre de mirar los paisajes de España.")

El ruedo se ha cerrado a su alrededor. La fibrilla de luz esperanzada deja de parpadear a la distancia: Manos frías le empujarán en adelante de celda en celda. Pero antes de eso, allí, allí mismo, en Rosal de la Frontera, tal vez porque su sonrisa "debió irritarles mucho" como en la ocasión anterior, los guardias le quebrantan a golpes. Se dice que hasta orinó sangre.

Será ahora el documentador de la atmósfera cercada, enmarañado en la penumbra que podrá subrayarle el testimonio. Ayer no más, en su *Hombre acecha*, que mutiló el estertor —mutilación todavía no reparada—, vislumbró el terror de las molduras murientes de la cárcel como preparando su ánimo para la inmersión en el oscuro y absoluto fondo. Ayer, asesorado por su propia confianza y por el hilo de luz que reservaba para los trances superlativos, calentó su lengua en ardiente desafío:

Cierra las puertas, echa la aldaba, carcelero.
Ata duro a ese hombre: no le atarás el alma.
Son muchas llaves, muchos cerrojos, injusticias:
no le atarás el alma.

Pudo parecer petulancia juvenil ese desacato a las sombras carcelarias, un año antes; ahora que está a punto de escucharse en la transpiración de una acústica negra se dispone a probar su afirmación rotunda.

## EL HOMBRE ACECHA

*Se ha retirado el campo*
*al ver abalanzarse*
*crispadamente al hombre.*

Al pisar el paisaje de su segundo libro de guerra *El hombre acecha* se tropieza con la dura madera de su misma voz con trémulas tensiones. Los poemas escritos en Rusia son un canal abierto de firmeza y confianza contagiosa. Su *Llamo a los poetas* y *Madrid* son invitaciones noblesa hundir la pala en el conmovido territorio del pueblo. Esplende en algunos la misma claridad feraz —peculio acuñado en el troquel fragoroso de la guerra en apogeo— que agavillara su *Viento del pueblo* de inconfundible densidad. Espadas afiladas en un mismo pasmo de entusiasmo y conducta guerrera. Podría casi considerarse como una segunda parte del libro anterior si hubiesen sido escritos en circunstancia idéntica y sí, en su margen, no se patentizara ya el color de heridas qu ese iban abriendo en el suelo ibérico.

Es, si se lo ve en esencia, un canto intermedio entre las duras batallas y la aflicción de un desenlace dramático, el reflejo de su mirada sobre lo que viene trayendo en sus entrañas un soplo de acogotamiento. Poemas de lucha intercambian acentos con otros con nimbo de sombras aprensivas. En este su libro todavía se elevó el canto fuerte y firme, pero con intercalación de soplos promovidos por la articulación agitada de quien camina sobre próximas ruinas, con abonos atribulados de balance y despedida. Mas no se nota que su pulso esté desfalleciendo. Vestido siempre de su pasión fulminante, parece adivinar las cosas tremendas que una derrota podría aparejar y se desvela para fijar el acontecimiento con la misma crispación con que vió todo vitalizado por el heroísmo formidable. Todavía sigue con los ojos ávidos, hambrientos de todo acaecer, aunque en secreto se ciñe ya la hopalanda de niebla de terribles futuras horas.

Miguel Hernández leyó parte de esos poemas en la “Alianza de Intelectuales” de Valencia. Él que venía de las trincheras —los médicos le recomendaban de vez en cuando esos descansos—, atisbaba el declive, la oscuridad que modificaba el lugar de las cosas, enrevesándolas para enseñar las huellas de la pesadilla tremenda. Su alma inflamable tomaba otra vez calor al contacto de la chispa amarilla que brotaba del aire desfalleciente. La visión de lo que estaba a punto de disgregarse se troquelaba fructuosamente en sus hornos.

De entre los poetas que escribieron sobre España, Hernández fué el único que retrató la mortecina luz que se avecinaba, la hora que precede a la derrota. la inminencia de la puesta del sol en el horizonte, la ondulación, en fin, de lo que estaba por morir. Mucho de lo que se escribió sobre España, la mayor parte de los poemas de esa hora, nació al calor de la contienda; fué el fruto de la exaltación, del levantamiento viril, del contagio y la fiebre; a excepción de tres o cuatro libros capitales, el viento esparciría cuanto llevaba apenas el valor efímero del entusiasmo. Apagada la hoguera, la ceniza arrancó pocos acentos valederos. Miguel supo aprehender con hondura lo que se estaba apagando. Miguel, que se retorcía dentro de la vorágine, presintió el posible derrumbe desde la misma fosa, soslayando en lo recóndito anochecido, desde el negror de la pared en resquebrajamiento. Al continuar nutriéndose del asalto nocturno y postrimero, se extendió hasta poder abarcar la magnitud del drama que avanzaba. La transición se produjo en su poesía con plena y lograda consecuencia, porque continuó en el centro de la circulación dramática. Por lo común, la obra poética nacida en la tensión de los acontecimientos magnos, suele sufrir una suerte de vahido al sentir la falta de apoyatura vibrante que los sucesos le ofrecen. El fragor infunde una vitalidad que la calma siguiente desvanece. Y pocos son los que ven. en línea de buceamiento, lo que ha de declinar y perecer.

Él dejó un testimonio cruento y fiero de la congoja en cierne. César Vallejo lo presintió, porque siempre bordeó el escepticismo. Hernández siguió con el pulso en vilo, barruntando lo inevitable. y registró con palpitación agónica lo ulterior dramático. *El hombre acecha,* si bien entre acentos de varonil llamada, arrastra consigo el nimbo ambarino de la estupefacción ante los próximos sollozos.

Y es verdaderamente notable cómo Hernández —tal vez por ese aferrarse instintivamente a la cima en la hora de comenzar el descenso— en el momento en que todo parece indicar que va a "ver este mundo en la perspectiva de la otra ribera" (Valle-Inclán), cuando uno cree que su voz está colindando con los rumores del lado opuesto de la vida, comienza a hablar con tanta claridad desde "esta ribera" (las aprensiones no le sirven de impedimento para dar el tono exacto) que su entonación, aun así, es audible desde un alto alcor de luz. Es la voz apremiante de un hombre sobresaltado, sin encrespamiento retórico. Y es interesante también cómo, precisamente cuando se le doblan las sábanas por el gélido presentimiento, cuando hay momentos en que todo se le está apareciendo como a través del cristal cóncavo de una galería, se despoja de su natural inclinación al desperezamiento desmesurado, a la óptica magnificadora, al escorzo salido de sí, al barroquismo, en fin, que le acompasaba la marcha y, en actitud de apartar una toga que le interfiere el gesto suelto, habla con una precisión estremecedora, con un lenguaje punzado por un ansia de expresión desnuda, comprimida, sin sobrepasaciones inútiles y con la niebla en justa distribución para herir en lo genital como pretende.

¡Qué honda la voz le sale ahora, destilada y acrecida en esa hora de trance y de dolor sin mitigación posible! *El hombre acecha* es un intento de obturar con antelación las desgarraduras que podría mostrar el cuerpo de su certeza en la victoria, una energía sobrante que no se resigna a la disolución vaporosa; certeza que no acabará por talarse y que no va a ser doblada por la trágica y fehaciente burla que el destino le prepara. Continúa con sus acentos de exaltación confiante, cuando abajo se adivina la sospecha de que todo está irremediablemente perdido.

¡Y qué triste es ese mantener la voz en alto cuando desde lo soterrado tiran raíces sobrecogidas de espanto! ¡Qué tremendo es eso de llevar a flor de piel la entraña sangrante, alucinada! El paisaje ha muerto. Nada podrá oponerse a la insurgencia de la fiera, del animal que "rememora sus garras", que ocupa todos los sitios y los entenebrece. El telón de fondo se desvanece, el mundo comienza a temblar gastado por el acecho humano. ¡Qué oscuro escenario para el drama! Allí donde la libertad respiraba, la atmósfera se recata, gris, persuadida del próximo advenimiento de la ferocidad y del alarido.

Mirando desde el centro mismo de cuanto sucede, toma a los acontecimientos en su pulso de excitación, así se les ve el embrión y las consecuencias, capturando su respiración desasosegada.

Pero lo más sorprendente, por último, es que en el minuto en que sabe que tendrá que dialogar pronto con la penumbra, como queriendo probarse a sí mismo la autenticidad, aparta de sí al caballero que le enseñó a lidiar con lo profundo, a Quevedo, el que le dió la clave de la visión trasvasadora, y se sonsaca a sí mismo acentos personales e inconfundibles.

¡Y tan terribles son las cosas que hay que ver y que contar! Está llegando el momento de cantar con un nudo en la garganta. Ninguna sobreexcitación es comparable a aquella que resulta de ver la caravana famélica que se desplaza, la caravana de hombres con quienes se compartieron horas bizarras por una causa que es la de nuestra propia vida. En el largo silencio que envuelve esos momentos, a Hernándz le asalta el espejismo de lo que va a venir, de lo que va a ser de todo aquello, y en su noche de mayor soledad y de congoja, siente el chirriar de los rieles al paso de aquel tren fantástico, fantasmal, que transporta a los desangrados y que le arranca ese poema único, *El tren de los heridos,* que llena de espanto los días finales de la guerra:

> El tren lluvioso de la sangre suelta,
> el frágil tren de los que se desangran,
> el silencioso, el doloroso, el pálido,
> el tren callado de los sufrimientos.
>
> Ronco tren desmayado, enrojecido:
> agoniza el carbón, suspira el humo,
> y maternal la máquina suspira,
> avanza como un largo desaliento.

Poseído de ráfagas oscuras, levanta un ritmo continuado y prieto de ensimismamiento. No es de los que tienen la palabra lista en el instante heroico, y que se quiebran al mismo tiempo que el edificio se derrumba, buscando el rescate de su voz sobre otras emociones perseguidas. Miguel quiere averiguar cuánto de grandeza queda todavía en el rescoldo humeante, cuyo pálido resplandor sigue alumbrando su poesía en anchuroso rebullir, con la mágica virtud de resarcirle de cuanto no sea esencial y fruto de un menester profundo.

Su gesto varonil se vuelve hacia lo que entrañablemente le tironea, la mujer, el hijo, es decir hacia la profundidad de los simples afectos que son lo medular de la existencia. La dimensión de la nostalgia le apremia a enfrentarse sin miramientos con el recuerdo, que es el comienzo del sentir más hondo. ¡Qué difícil es ahora medir el espacio que le separa de los suyos, saber siquiera qué fué de ellos! Cuando las cartas van a la trinchera, no llegan: cuando llegan, los que hubieron de recibirlas ya no están. Es el drama sencillo, diario, desgarrador, de los días aciagos. Todos están ya con la acentuación de la pérdida, mitad expectantes, mitad acribillados por lo irremediable, casi todos ajados por el delirio y la turbiedad del vacío que se aproxima.

Donde voy, con las mujeres
y con los hombres me encuentro,
malheridos por la ausencia,
desgastados por el tiempo.

Se percibe el apetito insaciable de introspección que le devora; por eso desaparece bruscamente todo aditamento y queda él visible, su ser entero, como una llaga solar en unción acendrada. Mas, la introspección tampoco ofuscará su visión de lo que ocurrirá mañana, y es así como se dibuja a sí mismo el paisaje de la futuridad española, un paisaje de cruces y de cárceles, y puede proclamarlo porque tiene el don de la videncia. La escena está montada y el hombre puede rugir, porque ha "regresado al tigre".

Pero no, no, Miguel Hernández no va a cejar, aun en la penuria, a su grande alegría, a ese retoño de sangre que le alimenta el alma. Continuará en su embestida de flores, pues en toda situación y en todo trance, restan siempre las probabilidades del esplendor triunfante. Mil y mil veces va a intentar ese arrebato de exultación, aunque sea fiera la máscara atroz que la inclemencia le pone; mil veces habrá de salirse, restregando los ojos, del laberinto gris en que le arrojan; mil veces, en fin, reemprenderá la jornada, así se entrecrucen las nieblas en su camino. La sangre le dicta la orden para un nuevo comienzo, así palpiten floraciones de heridas sobre su carne.

Bien sabía que no es dable desalentar mientras aliente la vida; bien sabía que nada puede aceptarse como acabado allí donde la llama respira todavía, aunque deban removerse escombros para que ascienda y fulgure; que el dolor mismo trae consigo una enseñanza impar, que la raíz palpita viva aunque se queme el ramaje.

Herido estoy, miradme: necesito más vidas.
La que contengo es poca para el gran cometido
de sangre que quisiera perder por las heridas.
Decid quién no fué herido.

Mi vida es una herida de juventud dichosa.
Ay de quien no esté herido, de quien jamás se siente
herido por la vida, ni en la vida reposa
herido alegremente!

## SABOR DE SOMBRA

*Las cárceles se arrastran por la humedad*
*del mundo,*
*van por la tenebrosa vía de los juzgados:*
*buscan a un hombre, buscan a un pueblo,*
*lo persiguen,*
*lo absorben, se lo tragan.*

Ocho días duraron las vejaciones y las interrogaciones infamantes en Rosal de la Frontera. Fuerte siempre, sin que haya sufrido suplantación su firmeza ni su pujanza, comienza a cobrar conciencia de lo que le espera; abarca de una sola mirada lo que la prisión tiene de sobrante tiniebla y de malos momentos. Consumiendo la necesaria preparación para topar el miedo, el desconcierto inicial, y vencerlos, se concede a sí mismo el gesto de muchacho entero que no en vano preparó su sangre para recibir las combinaciones alelantes de las mañanas tristes y de las noches más tristes todavía.
Su entereza ante los castigos que recibe allí, motiva que los guardias civiles decidan prolongar su lapidación y lo remitan a Sevilla. Y está otra vez en Sevilla, donde persiguió ayer una probabilidad de escape, y donde ahora las fachadas graciosas se le convierten en carbones, insertado como está en el consternado grillete de sus calabozos. Sevilla es parada provisional. En verdad, Miguel abriga la ilusión de que todo no pase de un equívoco pasajero. No se resigna a aceptar su detención, atontado todavía por el golpe y confiando en que acabe el mal trance. No logra delimitar la realidad de los sueños que acaricia. En eso reside el secreto de su fuerza, pues nunca baja completamente del peldaño de ensoñación fogosa y fabuladora que le impermeabilizó el alma contra el desquicio completo. No le afectan todavía los tóxicos del encierro; vive obediente a su imaginación sin freno que le promete reposo y bienaventuranza para muy pronto. Desde Sevilla es conducido a Madrid. El 18 de mayo lo instalan en la Prisión Celular de la calle de Torrijos. Aturdido, es presa de una fiebre de trabajo constante que sorprende. Es como si el extravío en el desconcier-

to le salvase. Las emociones intensas desatan sus torrentes y con la frecuencia con que suele ocurrir, a la piedra de toque de algo nuevo, los grifos abiertos dejan paso al agua contenida. Como un tronco de claridad su pensamiento relampaguea, cual si al sentir su cuerpo el desmoronamiento de las techumbres, su voluntad creadora, en cambio, no se resignase al hundimiento ni a un probable signo de fatiga. Nuevamente perpetúa su vuelo. Escribe, febrilmente escribe. Mitiga las peripecias de la soledad con los sonidos de su poesía, con ecos que acucian otros ecos, con oleadas que resbalan unas sobre otras forzando el dique del silencio. Está espiritualmente pleno. No hay señales de merma en su entusiasmo, aunque intensamente le desvelan las aprensiones por la suerte de su mujer y su hijo, nortes de su ilusión y su cariño. No ha perdido un ápice del humor juvenil que le ayuda a trascender los amargos momentos. Su temperamento triunfa sobre la triturante celda. Y como ha aprendido a no vivir solamente para sí, se satisface en infundir esperanza a los compañeros de cárcel. Sabe que su desasosiego podría contagiar a los otros, y procura que sus íntimas relaciones con los presos se basen en el mutuo estímulo, en un encuentro sostenido en faz y presencia de animadora alegría.

La rutina diaria cae sobre él igual que sobre todos. El poeta, hacedor de cosas celestes, hace cosas de tierra: barre, cero como cualquier otro, el patio de la prisión todos los días, lo que no le hace perder un punto el buen humor que tiene, buen humor que le defiende y le salva de sinsabores. Pero como a sí mismo se pidió licencia para apiñar en milagros las miserias cotidianas, inclinado sobre la escoba, como sobre una balaustrada, exhuma de ella lo que tiene de hermosa y bendecible. ¿Por qué no? Anota su *Ascención de la escoba*:

> Su ardor de espada joven y alegre no reposa.
> Delgada de ansiedad, pureza, sol, bravura,
> azucena que barre sobre la misma fosa,
> es cada vez más alta, más cálida, más pura.

Lo pequeño es troquelado en fuego grande; cuestión de tener la capacidad distributiva de las sensaciones.

Guarda amorosamente su caja de Pandora y la

esperanza le hacen guiños desde su fondo. A través de un ángulo humorístico ve las cosas desagradables que le suceden. Las cartas que por entonces dirige a Josefina están cruzadas de esa gracia salvadora, como si la estratagema de ver todo por un prisma combo y protuberante le auxiliase contra la seriedad y el miedo.

No son animadoras, entre tanto, las noticias que recibe de Josefina. La miseria se ha cernido sobre el hogar desamparado. Miguel se esfuerza porque su fervor no decaiga y quiere contagiar a los demás con algo de su firmeza, firmeza que intercepta las grietas en la muralla confiante que levantó para preservarse del fallecimiento, que sabía peligroso en ese trance. Es como si deseara atraerlos al ámbito de su propio resplandor para contaminarlos de su condensación vibrante. Por eso sus palabras, en esa hora, llevan la marca de una aglutinada euforia. Pretende seguir ignorando que algo terrible ha descendido sobre su cabeza. Y para soportar todo el peso de los hechos que pudieran quebrarle, los transforma con el soplo lunar de su poesía. Así al recibir la noticia de que su hijo carece de alimentos, le envía, como un chispeante trozo de luz, sus "Nanas a la cebolla", con las que pretende, a fuerza de música, atenuar la dolorosa circunstancia; mensaje maravilloso sobre la superficie de la realidad brutal y anonadadora, diamante que fosforece sobre tanta tristeza:

Alondra de mi casa,
ríete mucho.
Es tu risa en los ojos
la luz del mundo.
Ríete tanto
que mi alma al oírte
bata el espacio.

Tu risa me hace libre,
me pone alas.
Soledades me quita,
cárcel me arranca.
Boca que vuela,
corazón que en tus labios
relampaguea.

Nunca había llegado a ser, como en esos meses, tan sencillo y tan humano y por lo mismo, tan grande. Pudo haber escrito lo que escribió después, en su peregrinar por otras cárceles: "Poco sabía del mundo hasta hace poco y ahora he aprendido demasiado". Demasiado, ciertamente, demasiado. Entre seres que estrujaban su sangre en el acumulado contorno de la penumbra, entornados los ojos para no ver el derrumbe y la desgracia, o con la mitad del cuerpo incorporado para no ceder al amortiguamiento de la energía; o mirándose a los ojos con la misma pregunta perpleja, o transidos por el salvaje fragor del pulso que en el penal no se amainaba todavía, buscando un minuto de soledad para aclarar su desconcierto, distintos unos a otros aunque demasiado parecidos en la desdicha, amasijados en el rincón, su figura de poeta fué como una aparición resplandeciente en el asilo oscuro. Allí vió a esa gente en su carnadura real, tal como era, asediada por la verdad penosa de su estado; tomó de cada uno de esos hombres su fragmento de sombra y los devolvió en puro metal de fraternidad generosa.

Y como si fuera poco darles su ejemplo de entereza, les dió también la miel de su "palabra de imágenes". Así, Miguel Hernández, en los atardeceres sin fin en que el mundo parecía desplomarse sobre cada uno de ellos, los reunía a su alrededor e improvisaba cuentos y fábulas, historias que dejaban una luz sobrenatural y de contagiosa magia en el duro silencio. Como si soltara un beso en la noche lastimera.

No, nunca había llegado a ser tan sencillo y tan humano. Se obligó como un deber pasear su alegría entre esos taciturnos y sacarles de la postración que sigue a la derrota, traerlos del agujero con el artilugio de su fascinación increíble. ¿Y por qué no iba a crecer también él mismo en ese oficio samaritano, en que con un simple gesto podía indicar a un débil la dirección de la firmeza, la sencilla seguridad, la fe que destiñe la tiniebla? Maduró en esa palpitación diaria, a fuerza de aliviarse aliviando a los otros. "He visto a la gente que me rodea desesperarse y he aprendido a no desesperarme", escribe. ¡He aprendido a no desesperarme! Esfuerzo sabio que ayuda a su corazón a entarimarse en la altura, salvándolo de la marchitez y la caída.

A tanto llega su optimismo, que para que él no

olvide y los que le rodean tampoco olviden, dibuja en la cabecera de su cama, con trazos que le brotan de la frente, un caballo en pleno galope y al lado un pájaro de papel con el nombre de "Estatua voladora de la libertad".

Sin embargo, entre tantos clarores, ¡qué alarmante sufrimiento le asfixiaba la boca! El círculo de sombra le hostilizaba el fondo. En verdad, un inmenso presagio de ruina se acomodaba bajo su aparente entusiasmo. Arrastrado, y sin posible defensa, por las tristes aprensiones, sus poemas de entonces tienen un extraño sonido de rama que se quiebra; la oscuridad hacía sentir sus peligrosas salpicaduras. Y en esa coyuntura de inquietante caos, por rara paradoja, su obra gana una notable soltura de expresión, prueba de la legitimidad del dolor que traducía. Esos poemas, como veremos después, serán su canto del cisne; a continuación quedará mudo, como si al vaciar sus entrañas se encontrara sin palabras.

En un supremo acto magnífico de renuncia, aparenta una inextinguible risa; en verdad, las lágrimas le anegaban por lo bajo las surgentes de su himno, aturdiéndole en secreto. Intencionalmente evitó cualquier vacilación y desatino ante los demás; el rostro de su corazón, empero, ya mostraba las veteaduras penosas que dibujan el sesgo sombrío.

Dolorosa es la condición material de su vida. Apenas hay espacio en la celda para dar un paso, abigarrados como están los presos. La lluvia se cuela por el techo. Pasa ratos enteros expulgándose, aunque nada de eso le turba la voluntad erguida. "¡Pobre cuerpo! Entre sarna, piojos, chinches y toda clase de animales, sin libertad, sin ti, Josefina, y sin ti, Manolillo de mi alma, no sabe a ratos qué postura tomar, y al fin, toma la de la esperanza que no se pierde nunca".

Así su vida en la prisión madrileña. Mientras tanto, entre los refugiados y los amigos de París, todos ellos con un rictus de amarga expectación en el rostro la noticia de su detención produjo viva angustia. Había que actuar precipitadamente. Neruda, que allá estaba, habló del asunto Miguel Hernández con la poetisa francesa Marie-Anne Conméne una noche en el Pen Club, persiguiendo un desenlace feliz para el inquietante caso. Se tenía certeza de que no habría conmiseración con él, a no ser la solución salvadora, que no pasaba de un vislumbre remoto. María Teresa León, que se hallaba presente, recordó el auto sacramental de Miguel. Así se les ocurrió a Neruda y Marie-Anne Conméne el subterfugio cuyo desenlace le salvó. Neruda cuenta: "Hicimos un plan y pensamos apelar al viejo cardenal francés Monseñor Baudrillart. El cardenal Baudrillart tenía ya más de 80 años y estaba enteramente ciego. Pero le hicimos leer fragmentos de la época católica del poeta que iba a ser fusilado. Esa lectura tuvo efectos impresionantes sobre el viejo cardenal, que escribió a Franco unas cuantas conmovedoras líneas".

Lo inesperado ocurre: Miguel Hernández queda libre. Y ahora, ¿qué hacer? Necesita poner orden en sus ideas; irresoluto, opta por asilarse en la Embajada de Chile, como para dar de una vez una respuesta a la interrogación del día siguiente. ¡Cosa tremenda! Un empleado abyecto e irresponsable, el Encargado de Negocios, Carlos Morla Lynch, le niega asilo. (El mismo Morla Lynch que, en vísperas de la caída de la República, se presentó un día intempestivamente en casa de Rafael Alberti ofreciéndole asilo para él y algunos intelectuales cuyos nombres éste le indicara, porque tenía orden, según dijo, de recibir solamente a un número determinado. Conocía Morla, así reveló también, algo de la inminente traición de Casado. Alberti ofreció esta posibilidad de escape a Miguel Hernández, en la Alianza de Intelectuales, respondiéndole éste —en esa ocasión— que su intención era volver a pie a su pueblo. Según refirió Pablo Neruda después que Morla Lynch tuvo el desparpajo de informar a su gobierno de las razones de su negativa).

¡Cuántas cosas comprende ahora Miguel Hernández, con qué evidencia cruel puede comprobar que no fué gratuita su formidable conducta en la guerra, cómo la adversidad accionará decididamente bajo sus pasos! Mas como nunca desesperó, tampoco desespera ahora. Y como su lámpara pasional continuaba encendida, llenándole con sus delirios y sus crespas olas de vaivén litúrgico, dispuesto como estaba a no renunciar a sus derechos de completarse como hombre entero, vuelve sus ojos hacia su mujer y su hijo y decide marchar a su tierra, apremiado por una decisión desafiante.

¡Atravesar otra vez las colinas y los vientos del Levante! Llevar los pasos, otra vez libres y alegres, por los montes y las tierras de pastura cuyos recuerdos le quemaban. ¡Atravesar de nuevo la carretera, herida de sol y polvareda fina, que lo conduzca a Callosa del Segura! Sentir tan sólo el aroma de Cox, donde su corazón subió, palmar arriba, hasta la casa de sus bodas, hecha de indeleble y maternal suspiro. Y arribar, por fin, a Orihuela que le aguardaba esta vez con cauteloso silencio, como si sus calles todas presintieran el tamaño de su imprudencia.

Revé a los suyos, alborozado y franco. ¿Cuánto ha de durar aquello? Parientes y amigos le señalan el peligro de una larga permanencia en el pueblo aunque él, sonámbulo en su dicha, desoye esos consejos.

Allí mismo le detienen. Instalado en la prisión oriolana, la más triste de su vida por estar más cercana a los suyos, no le cabe otra cosa que esperar los próximos agravios.

## SENTENCIA TRISTE

*¿Qué hice para que pusieran*
*en mi vida tanta cárcel?*

Sí, ¡qué triste su permanencia en Orihuela! Triste por la propia enormidad de la injusticia. Triste porque asistirá, entre otras cosas, desde el Seminario —ahora cárcel, lugar de confidencia del negror retrógrado— a la decoloración del día como pabilo moribundo en las hornacinas. Un nudo se le forma en la garganta, tan impotente como está, tan desvalido.

Jamás hubiera pensado que sus propios paisanos le tenderían el lazo y el solapado veneno. A pesar de todo, del hambre rigurosa que pasa, de las enfermedades que acechan, del rincón destartalado en que lo encierran, como en el áspero interior de un carromato viejo, a pesar de todo, está satisfecho de su trayectoria. Al fin y al cabo se estaban cobrando en él una antigua deuda. Sabía que intentarían desarticularle la entereza. En efecto, en Orihuela fué tratado mucho peor que en Madrid. Se le tendió un cerco de aislamiento tenebroso; sus familiares se amedrentaron. Ni una sola vez lo visitó su hermano, lo que causó a Miguel profunda decepción y amargura. No hablemos de su padre, que ignoró la presencia de su hijo, el único que dió viático de porvenir a su sangre.

Pocos sufrieron como Hernández la abierta desconsideración en su reja solariega. Restaban todavía algunos puros que permanecieron fieles a la amistad del poeta, cuya figura en la cárcel constituía una presencia de peso y prestigio que ningún politiquero mayoral podía dejar de tener en cuenta. Si bien no pudo constituirse un cerco protector en esa hora de terror y persecueciones, sus amigos dirigían en secreto sus ojos hacia el Seminario Cárcel, como si el prisionero librara desde allá una singular batalla contra sus verdugos. Solapadamente los gestos de adhesión clavaban los muros, atravesaban las paredes, se aproximaban a su banquillo de presidiario. Los interesados en liquidarle, en cambio, vacilaron sobre qué hacer o qué no hacer con el muchacho preso que seguía firme en medio de la tolvanera: No me perdonarán nunca los señoritos que haya puesto mi poca, o mi mucha inteligencia, mi poco o mi mucho corazón, desde luego dos cosas más grandes que todos ellos juntos, al servicio del pueblo de una manera franca y noble", escribe en una carta que concluye con un párrafo orgulloso: "Ellos preferirían que sea un sinvergüenza. Ni lo han conseguido, ni lo conseguirán. Mi hijo heredará de su padre, no dinero: honra". Ah, sí, honra heredará su hijo; su descendencia heredará honra, honra legítima de pureza indubitable. Y bien que lo sabía. Aun viviendo con un comienzo de mirada perdida en el vacío, de tanteo en la penumbra, no por eso equivoca el sendero. Ese "ni lo conseguirán" suena a reacción segura, tiene color de exacta brújula que no se desvía en las impuras curvas procelosas.

Una orfandad increíble la tritura los huesos, Nunca, ni cuando la fatiga circunvague definitivamente su silencio para destruirle, estará tan abandonado como ahora. La tierra natal parece haberse retirado bajo sus pies, dejándole sollozando en el vacío. ¡Con qué apasionada fuerza quiere ver a su Josefina, con qué desgarradora ternura espera el abrazo de su hijo! Cualquier castigo resultaría poco en comparación con ése que le impedía verlos. Tal vez porque supieran que eso era lo que más podía dolerle, sus verdugos recurrieron a esa infamia incalificable. Diariamente despertaba con esa ilusión desesperada y diariamente anochecía clavado en su impotencia. ¡Y tan cercano todo, tan asible al parecer la pequeña porción de dicha que se merecía, tan próximos sus recuerdos!

A pesar de sus deseos, desconcertado como estaba, ante una única visita de Josefina, en esos dos largos y penosos meses que pasó en Orihuela, tuvo una conducta extraña: apabullado por el sinsabor del encuentro, le pidió que no regresara. Y también ella se privó de verle. Era como si ambos, en tácito acuerdo, hubiesen resuelto evitar las humillantes visitas que no harían sino aumentar el tamaño del castigo. Prefirió Miguel continuar soportando solo su amargura deprimente, confiando todavía en que todo aquello no pasaba de una pesadilla. Si bien ya no podía dar fe de la salud de su organismo, que sensiblemente denunciaba el abatimiento y la quebradura, creyó que podía soportar la carga airosamente, afirmando su espíritu en la confianza. Los nervios pagaron el precio del desafío. Se tornó irritable, y esa misma irritabilidad actuó sobre su cuerpo que denunciaba, como un barómetro seguro, sus tempestuosas descargas. Cualquier disloque sensitivo le trastornaba el talante y en su rostro podía leerse, día tras día, las huellas inequívocas del temporal que se desataba en su sangre. No quiso que Josefina fuese testigo de ese cuadro y dejó para sí la solitaria apuración del cáliz.

Esos dos meses en Orihuela fueron de completa paralización creadora. Se limitó a acumular una fe que pudiera servirle para el trance siguiente. En un encuentro —ya a punto de tomar un tren que lo llevaría a otro presidio— le cupo una alegría enorme: tener en brazos a su hijo, alegría que le hizo escribir recordando ese momento: "No sabes la alegría que me ha dejado nuestro hijo viéndolo tan hermoso y tan vivo, que no puede pararse un momento... Dentro de unos meses andará por primera vez en su vida... Tengo que hacer de mi Manolillo el hombre más decidido del mundo y el más alegre y el mejor..."

Una crepuscular tiniebla ronda su vida y la de los suyos: el hambre. La deplorable situación económica de su hogar no puede salvarse ni con la ayuda de Vergara Donoso, cónsul de Chile, que le envía algún dinero por expreso pedido de Neruda quien, desde París, no abandona al amigo amado. La salud de su espíritu no siempre puede sobreponerse a su precariedad física; desnutrido y con los nervios deshechos, como dijimos, no oculta su penoso estado, aunque hace lo posible por no desesperarse. Resiste al apocamiento y férreamente proclama su decisión de resistir, firmemente, lo adverso que se está apoderando de sus días. Alguna carta clandestina —torturados garabatos— puede hacer llegar a Josefina y, aunque haciendo esfuerzos por ocultar su miseria inverosímil, deja correr a veces su impaciencia furiosa: "Me siento aquí mucho peor que en Madrid. Allí nadie, ni los que no recibían nada, pasaban esta hambre que se pasa aquí y no se veían, por tanto, las caras y las cosas y las enfermedades que en este edificio. A nuestros paisanos les interesa mucho hacerme notar el mal corazón que tienen, y lo estoy experimentando desde que caí en manos de ellos". Su propia miseria parece pequeña comparada con la que deben soportar su mujer y su niño; esto es lo que desquicia por completo al infortunado. Tiene violentas reacciones. No sabe ya si dar primacía a la tranquilidad consoladora o a la imprecación en sus esquelas. Ensaya toda clase de posturas para comprobar su firmeza y no siempre lo consigue, no siempre, como cuando, en rapto de furiosa precipitación, suelta este patético alarido: "Come tú, comed mientras haya qué. Vende, empeña, si es preciso, el niño. Pero será mejor que te metas antes en la cárcel conmigo, y nos moriremos juntos, como hace tiempo hemos acordado". ¡Tremenda cosa! Está en plena vivisección de su espanto y su desconcierto. "Estoy pasando más hambre que el perro de un ciego..." ¡Cómo debió sufrir para que dijera todo esto, él, que estaba dispuesto a sobreponerse, a elevar su himno de exultación a la vida por encima de cualquier desmoronamiento! Es como si ya no pudiese oponer una valla al oleaje de su pasión averiada, o, traicionado por su desborde rugiente, tendiese la mano pálida sin poder sujetar las bridas sueltas. Si todo no fuese tan terrible, habría evitado vociferar de este modo. A esa turbulencia seguirá luego un registro sosegado de los acontecimientos. Antes de que esto suceda, le esperan todavía tumbos sucesivos en donde ha de templar o aniquilar sus fuerzas.

Con el traslado a Madrid, en diciembre de 1939, se inicia el ciclo de su abismal peregrinaje por las cárceles franquistas, peregrinaje cruel y trágico, de bárbaro ensañamiento con su persona. Todo lo que le fué negado conocer lo aprenderá en poco tiempo y el irrespirable escalofrío de las cámaras en que yazga serán su escuela de conocimientos. Madrid es la primera parada. Cae en la prisión del conde de Toreno, y el poco alimento que recibe de afuera, siempre por diligencia de Vergara Donoso, le restituye algo del color perdido, pues había llegado muy desnutrido y muy pálido. Pero si él encuentra paliativos para su hambre, los suyos no. Por eso toda su correspondencia de ese tiempo gira sobre el mismo tema, como si no se pudieran apartar las alas de murciélago de su presencia obsediante. "Come mucha fruta: que comer fruta produce alegría y verás cómo te pasas el día riéndote". ¡Hermosa intención! Pronto ve que no debe desfallecer y sí acumular entusiasmos para no ser derrotado por lo que se avecina, por lo desolador e interminable que avanza como riada.

Porque cosas terribles van a ocurrirle. Cuando parece que su vida tiende a sosegarse, a serenarse al conjuro de su inacabable fervor, una noticia terrible le precipita en el vacío. ¡Ha sido condenado a muerte! Queda inmóvil, paralizado. No atina a comprender el porqué de tamaña injusticia. Condenado a muerte, sólo le resta esperar el desenlace. Ahora sí puede hacer un vertiginoso reexamen de su conducta, pesarse los latidos, desvanecerse en hondas meditaciones. Todas las sensaciones se apretujan en ese ardiente minuto en que recibe el impacto, como si ante la certeza de la proximidad de la muerte se encontrase desnudo y frente a su propia sombra. Pasado el instante del anonadamiento, vino la calma. Y esperó con ejemplar tranquilidad el cumplimiento de la sentencia.

Los amigos vuelven a moverse. Cossío gestiona la revisión del proceso. Y ocurre algo que ha de mostrarnos todavía el calibre de su temple indomable. Un grupo de intelectuales falangistas le visita, prometiéndole la libertad a condición de que ingresara al movimiento. Rechaza el ofrecimiento con una sonrisa de befa y de desprecio. ¡Qué mal le conocían! Ni el temor a la muerte podía hacerle renunciar a sus convicciones. Nunca como en ese día debió haber sentido la aprobación de su conciencia. Su decisión le infunde un optimismo formidable. Durante los seis meses que siguen, en que su vida pende de un hilo, esperando cada mañana al pelotón de fusilamientos, se dedica al cultivo de su espíritu. Aprende el francés en las *Cartas* de Madame de Sevigné y está contento por recuperar parte de la salud perdida.

Le conmutan la pena y es condenado a treinta años de prisión. ¡A treinta años! Mas él está ya libre de temores. Sonríe optimista y su entereza le enorgullece. Opone a cualquier ruina que pudiera advenir el febricitante dique de su juventud maravillosa. En esto reside su plenitud triunfante, en que su entusiasmo le libra de las opresoras cadenas de la inmovilidad y la rutina carcelarias.

Sus verdugos se deciden a no darle respiro. De Madrid lo trasladan a la Prisión Provincial de Palencia. Allí no ha de quedar por mucho tiempo, aunque de allí, de Palencia, sale con el organismo quebrado, "enfermo y con una hemorragia muy grande", como comunicó al poeta Carlos Rodríguez Spiteri. Eran los primeros avisos de que algo en él se estaba minando, si bien no se llena todavía de aprensiones sobre lo que de abierto comienza a llevar adentro. Lo que entonces se le soltó fué algo así como lo primero que le comunicaba con el lado roto que arrastraría apremiándole hasta lo último. Y como para poder zarandearlo de nuevo, de Palencia lo retornan a Madrid, en el mes de noviembre, esta vez a la Prisión de Yeserías, sección de transeúntes. De transeúntes, porque unos días después será enviado al Penal de Ocaña, en donde las cosas van a ponerse negras. "Sigo haciendo turismo", escribe a su mujer amargamente.

Ya en Ocaña, como si quisieran hacerle sentir desde el comienzo lo que le espera, cumple una incomunicación de 25 días, en la que a fuerza de silencio todo se le desdibuja. Acabado el aislamiento, recibe un homenaje de sus compañeros de cárcel. Tiene noticias de sus amigos, especialmente de Vicente Aleixandre, que sigue ocupándose de Josefina, enviándole ayuda periódica. Miguel Hernández está sintiendo que el transcurso de las semanas tiene un peso cruel y difícil de conllevar. El 16 de marzo escribe a Spiteri: "El tiempo pasa, amigo Carlos, dejando su huella en todo, y más o menos profunda, según la calidad de los seres y las cosas. El tiempo en la cárcel es para mí una buena lección de vida y de todo lo contrario, y un provechoso curso de humanidades". Sigue interesándose por la actividad de sus amigos. No quiere que nadie se esfuerce demasiado por él y nuevamente empieza a confiar en su próxima libertad. ¡Ah, Miguel, Miguel! "Si logro conservar la salud, saldré de aquí como un ser de piel nueva; y falta nos hace conservar esta vieja piel de sol". ¡Otra vez está soñando! ¿No ve acaso que todo se confabula para perderle? Y si lo ve, ¿por que se engaña?

Se sucede la atonía brumosa de los días, llena de

torpores, en la que todo parece conspirar para deteriorarle la esperanza sin conseguirlo. Entre otros desgraciados, infligidos también por la penumbra, como animales heridos en una madriguera, respirando miasmas, entre quienes "para volverse del otro lado hay que pedir permiso a los vecinos", sigue resistiendo con ejemplar templanza, sin abdicar ni desfallecer.

Lo terrible es que crea poco, casi nada. Ya van para meses que su palabra rebota inútilmente contra los muros y la quietud enorme le desarticula la inspiración; ya van para meses que le fatiga el hábito de esperar y que la melancolía excesiva le retrasa el avance; ya van para meses que se arrojó al pozo de sí mismo, anonadándose al paso de las aguas graves que le desgastan la piel por dentro. Acostumbrado al diálogo con lo vertiginoso, el continuo diálogo en la oscuridad le debilita el pulso. Prefiere escribir cartas y las escribe en abundancia, tanto como se lo permiten. "Vivo —dice—, me limito a vivir una vida de preso con todas sus consecuencias". pendiente de las noticias de los suyos, suplica a los amigos por una línea. "Es una satisfacción de hombre en esta soledad animal de selva en que vine a parar". Y en otro párrafo: "Yo, como todos cuantos están en mi situación, vivo, en cambio, pendiente de las cartas, que son el gran acontecimiento de mis días de hoy".

Así es que cada amanecer planea cómo atravesar el día. Para evitar que la cabeza se le turbe del todo, estudia, estudia idiomas, aprende el francés, traduce con el poco inglés que sabe algunos cuentos que destinará a su hijo. ¡Ficticia distracción para quien iba borracho de opulencia! Difícil le resulta sostener el peso abacial de las horas vacías. Aprende a fumar, ¡pobre poeta!, como para ovillar el mirar triste al ovillo del humo. Sólo por tedio podía llegar a eso.

Hacíase urgente que las sombras no le quebrasen demasiado y que las horas no se desperdiciaran hasta el completo volteamiento de la actividad creadora. Era muy importante activar en algún menester carcelario, aunque este menester amenazase desconcertarle el alma. Entonces —¡él también!— ensaya esas artesanías menores en las que lo diminuto se concentra y apacigua la impaciencia para que no estalle. También dibuja. Sus cartas se llenan de esos dibujos. Hace juguetes para su hijo. Y sigue estudiando.

Pronto parecerá un hombre caminando al lado de su propia sombra. Sólo la voluntad y el entusiasmo —los eternos ejes impulsivos de su temperamento— le sostienen. Su rostro se habrá demudado y una fatiga glacial irá empalideciéndole por fuera. Comienza a tener esas impaciencias ofuscadoras que acarrea la tensión nerviosa. La soledad se le vuelve más espesa; la nostalgia le pone fuera de sí, le tiñe la correspondencia de un tono amargo, de músculo quebrado sosteniendo un peso mayor de lo soportable. Pero más que dolerse de sí mismo, le abruma la miseria espantable, atroz, que ha caído sobre los suyos.

En mayo una fuerte bronquitis le postra por completo. La cabeza —como siempre— se le desmantela en las jaquecas. Así abriga ahora el sueño de un traslado a Alicante que le aproxime a sus seres queridos, aunque sabe que eso les acarreará esfuerzos inauditos para atenderle. Confía, como siempre, en lo que Vergara Donoso pudiera conseguir. No piensa en otra cosa sino en Alicante. Ni un momento se da tregua en ese anhelo. En el fondo adivina que la afirmación, como la más alta prueba, tendrá que venirle de sí mismo, a fuerza de apoyarse en sus propias reconditeces, ya que, desheredado del mundo externo, los días solitarios no le darán tregua ni indulgencia.

Por otro lado, es preciso consignarlo, nuevos acontecimientos gravitan sobre su destino, y el recuerdo de su persona cautiva ingresa en esa zona temblorosa de agitación que sacude los ánimos en una de las más difíciles coyunturas de la historia. Un gran vértigo envolvió a los hombres con la gran guerra europea, y la figura de Miguel Hernández se fué perdiendo en una borrosa lejanía, relegada en la espera y la incertidumbre, ya que el inmenso temporal de pólvora distrajo la atención de todos. En efecto, al concluir la guerra civil, el corazón del continente comenzó a henchirse de nubarrones, manchados sus horizontes, inflamada la atmósfera con anuncios de tempestades de infamia. La oscura ebullición que entretejió sobre España su codicia y sus traiciones, una voluntad de destrucción como nunca conoció la especie, el fascismo, fraguaba sobre el mundo una hecatombe todavía mayor, una carga volcánica de barbarie inenarrable. Todavía el llanto por España no se secaba de los ojos, todavía la agudeza del dolor no desaparecía de los rostros, cuando un relámpago cruel abría un foso donde la alegría humana comenzó a despedazarse toda. Los nervios se jugaban en el tapete verde de una tensión impaciente. Y cuando la tempestad desatada sobre Europa acabó de ceñir el postrer resplandor de esperanza, Miguel Hernández. en España, en una perdida prisión de Ocaña, quedó solo con su congoja y sus preguntas.

¡Y tan solo como estaba allá, con su trágica suerte a cuestas, suplicando por un traslado que pudiera mitigarle la abrumante pena, que le diera un soplo de dicha en medio de la noche total que lo envolvía! Cuando en junio de 1941 llega la orden de traslado, se muestra dichoso, dichoso y confiante. ¿Sabía acaso lo que le esperaba?

Y ese mismo día en que lo mueven rumbo a la prisión última de su vida, comienza el papel de esa prodigiosa muchacha —novia, madre, esposa— a quien nunca acabará de agradecerse la abnegación para con el poeta en su hora de inmensa desventura.

## "CANCIONERO Y ROMANCERO DE AUSENCIAS"

*Ausencia en todo siento.*
*Ausencia. Ausencia. Ausencia.*

Miguel Hernández, cuya voz potente y enérgica había preferido el molde expandido, trascendente, de las formas mayores, sabía también que la fuerza mínima o grande de los sentimientos determina el cauce en que corresponde volcarse. Desbordado casi siempre, los versos de arte menor no podían contener su aliento. Tenía inclinación por lo ilimitado, por la palpitación sin atenuaciones, palpitación dotada de porosidades en trance de aventar la copa que labraba, por el destello sobresaliente que arriesga el equilibrio, por el temblor poderoso. Lo dijo en un artículo sobre *Resistencia en la tierra*, de Pablo Neruda: "Me emociona la confusión desordenada y caótica de la Biblia, donde veo espectáculos grandes, cataclismos, desventuras, mundos revueltos, y oigo alaridos y derrumbamientos de sangre". Esto denuncia el estado de ánimo del poeta por esas fechas, enero de 1936, ánimo de furor y enardecimiento. Y agregaba también: "La poesía no es cuestión de consonantes, es cuestión de corazón".

Desde entonces han sucedido cosas, cosas grandes y pequeñas, situaciones que trascendieron lo personal y otras que hicieron gemir lo más íntimo; un extravío de chispa y de tiniebla sobrecogió en su origen a cuanto se tocaba; nadie escapó al cambio de sitio de los elementos, se sufrió el efecto de los ásperos vientos que soplaban. Voces que ayer resonaban con ira, en competencia ardida de entusiasmo, se replegaban en un consuelo melancólico; los mejores artistas de España, aquellos que se midieron sobre el acero al rojo, echando una última mirada sobre su tierra, abrevaban su angustia con acíbar extranjero. Cada uno de esos destinos, unidos en el deber y el alto sacrificio, se esparcirá en la dramática búsqueda de un nuevo rumbo misericordioso. Perdida la voz, tendrían todos que reencontrarla. Cada cual a su modo, al tamaño de lo que le tocaba en suerte.

...Cosas grandes y pequeñas. Algo se había quebrado en cada hombre, en cada piedra, en cada hogar. La quiebra de ese algo querido alcanzó a todos. Nadie escapó al empellón que estimuló el desquiciamiento. De una u otra forma, todos recibieron su cuota de sombra.

En el fondo del hombre,
agua removida... ...

¡Qué lejanos, para Miguel Hernández también, los sueños engalanados de paz! ¡Qué distante el anhelo de un hogar seguro, con cimientos de azahares y halo de creación y laboreo! Distante el gesto de cantar sin jadeos, distante el lecho del amor sin pesadillas. Una franja de espuma oscura se interpuso en su ruta.

El cambio de tantas cosas en su vida cambiará el tono de su himno. Su preferencia por los "alaridos y derrumbamientos de sangre" dará lugar a un ritmo breve, de ceñida trasposición, casi elíptica, de su armonía interior. No le arrastrará ya la catarata que todo lo avasalla. El poeta se ha vuelto más hondo; la combustión se ha arremansado al requiebro de una inmersión más serena y más severa en el misterio cotidiano.

Paralelamente a la gestación de *El hombre acecha,* comenzó Miguel Hernández su *Cancionero y romancero de ausencias,* que concluiría en el claroscuro de sus prisiones. Entre uno y otro libro median algunas circunstancias de situación y tiempo, que les diferencia el tono, aunque ya problemas espirituales idénticos se ovillaban en su pecho. En ambos —más en el segundo que en el primero— la estridencia dió lugar a la digresión pausada que supone un estado emocional parecido, flotan ya temas en los que ahondará hasta el fin de sus días creadores: la angustia de la Ausencia y la Muerte. Lo que en el primero es airado tanteo, en el segundo es carne tangible, manifiesta materia que se toca, pues su perceptibilidad del creciente dolor corporizó en logros impares su grandioso buceamiento visionario en su desvelo y su tristeza.

Su obra ha sufrido la transformación que conmocionó su vida. La guerra civil ha concluído. Ha desaparecido lo que fué motivación cardinal de su grito agudo. La brava inspiración ante el espectáculo del pueblo en armas había dado ya sus frutos. Su vida ahora se endereza de otro modo y los resultados del ver y de sentir renovados, como consecuencia, tienen inéditas sorpresas. Se ha alzado a la zona de lo más humano. Nunca, como aquí, depositó su siembra sobre el tuétano y la sangre con tanta tranquila grandeza. Y para eso prescindió de las anteriores protuberancias de su estilo, para que en rodajas henchidas de carga profunda propendiese a mayor consistencia.

El *Cancionero y romancero de ausencias,* su libro de la retorcedura final, es el saldo de cuando se encaró con su propio ser en su hora hambrienta de luz y excitaciones. Es el testimonio denso y apretado del poeta prisionero. La cárcel engendró sus retumbos ciegos, lo que de raíz quebrada se escucha en sus ámbitos. Cuando Miguel Hernández fué enviado a Madrid, luego de conocer cárceles y cárceles, traía acumulado el material doliente que dejaría listo en poco tiempo, con la delirante prisa que le caracterizaba. El largo registro que practicaron sus ojos en la penumbra, el prolijo examen de la tiniebla penitenciaria, del sórdido precipicio en que había caído, lo apartó de la epidérmica visión de las cosas para habituarle, en cambio, a la excavación del trasfondo de cuanto le rodeaba y de su propio pecho. Semilla de una cruel y tremenda experiencia, el libro impresiona por lo que tiene de contenido respiro paladeando el vértigo de un barranco.

Poemas escritos al sello de un solo aliento, se los siente agarrados por una conmoción ininterrupta, alerta en la captura del fragor que tiene al poeta en estado de levitación casi mágica. Los primeros sorbos de la cicuta carcelaria le motivaron el trance. Todas las sensaciones de la prisión le asaltan en tropel, y él los arroja como venablos en el caldero. La mayor parte de los poemas ha sido escrita en el lapso que media de mayo a septiembre, en la primera época de su captura. Aunque con esperanzas todavía, su detención llevaba trazas de prolongarse. Escritos, casi todos, en la Prisión Celular de Torrijos, en donde ingresó el 18 de mayo de 1939, enviado desde Sevilla, estaban acabados en ocasión de esa breve libertad de que disfrutó, ocasión en que los dejó en poder d eJosefina. Ostentan, pues, la marca de los primeros muros.

La cárcel es la tercera gran experiencia de su vida, la lección conmovente que se le impone, peldaño de padecimientos, para que se complete. El amor y la guerra fueron las otras. No es la cárcel, como pudiera parecer, inmovilidad, detenimiento. Rica es de emociones para una sensibilidad alerta como la suya; cada día, allí también, viene alhajado de acontecimientos. El poeta, aguda antena, recoge cuanto vibra y circula, y todas las cosas repercuten fuertemente sobre él. Algunos podrán caer en un abandono moral o físico; Hernández acomoda su vigor para la observación atenta y, sobre todo, pulsador excelente, para troquelar en música lo que se precipita sobre su alma. En poesía vierte la sensación de ausencia; en poesía los presentimientos todos que le asaltan; con poesía vence los esporádicos desfallecimientos; es la poesía, en fin, la puerta de salvación y de conquista en las horas de ciegas trituraciones.

Como en toda ocasión anterior, el fenómeno poético se opera en él con impactos directos. La realidad no espera segregarse, como frecuentemente ocurre con otros, en una transfiguración distanciada para escanciar sus riquezas; instantáneamente se purifica en él y la correspondencia se produce abarcando apenas el tiempo efímero en que pasa de la experiencia a la metamorfosis creadora. Su sensibilidad registra la acción de los acontecimientos, personales o colectivos, con premura y densidad sorprendentes; absorbe con traslúcida mirada las impresiones circundantes y todo queda fijado en una condensación animada. Las circunstancias, en él, dejaban frutos majestuosos, y tal como en otros necesitan cobrar cierta perspectiva en distancia y tiempo, para ser recreadas, en Hernández dejan sus raíces, penetradas hasta su fondo por el ojo atento de su ser impaciente, aprehendidas en música. Su fascinante poder de situarse en el eje de los sucesos le permite meter la mano en el centro mismo de la marejada y recibir las aguas profundas como un surtidor inagotable. El más leve estímulo le bastó siempre para ser arrebatado. Ninguna limitación, por tanto. Le desenfrenó el relámpago del amor; el paisaje de la muerte le desasosegaba; una hora de amistad era suficiente para arremolinarle en la ternura; la presencia del hijo le hizo querer tocar el origen de la vida; la guerra le quitó de sí mismo, la cárcel le devolvió a la zona de su temblor interior riquísimo, y así interminablemente.

Poeta de circunstancias esenciales, derramó su efervescencia con acelerado impulso. Llevando la música a flor de piel, todo lo que frente a sus ojos transcurre recibe el bautismo de su acechanza atenta. Así es como en su obra está el hilo de su itinerario.

Para sus adentros envía el material que encuentra; desde sus adentros lo devuelve en emanación transfigurada. En sus calderos se quemaban materiales cotidianos. Las palabras se doblegan, contorsionadas, al requerimiento de la urgencia que le mueve; impelidas a acudir bajo su conjuro, se alinan a veces libres de exigencia, impulsadas todas por el hierro de pasión que las agavilla. La melodía se asienta sobre el fragor de su inquietante impaciencia.

¡Pero qué difícil resulta ahondar en el movimiento allí donde no ocurre nada, es decir, donde aparentemente no ocurre nada, para el que no sabe ver que ocurre algo, que la vida no se detiene en la sombría quietud del encierro inmisericorde! Mas el poeta tiene ojos que porfían. Su sonda cala más hondo que la del común de los mortales. Y es así como se lo vuelve a encontrar, respirando en la población del silencio, vertido sobre los patéticos rincones, como una sombra entre la negrura, pero esparciendo claridades.

Sentimientos embrionarios ayer, que eran apenas premoniciones, toman cuerpo de realidad viviente en la vida de Miguel Hernández. Las tres heridas enormes de que habla han florecido cruelmente, "la de la vida, / la de la muerte, / la del amor". Sobre ellas girará su esencia. En la cárcel toma una grave afición por los sentimientos íntimos, y el amor por su mujer y por su hijo mutilan su tristeza y le dan la raya del sol que necesita. No cede en su vocación creadora. Y para que en esas ocasiones y en esos momentos de letargo, en donde todas las entrañas se conmueven, siga irradiando la llama votiva, es preciso que sea enorme el material combustible. Sus fuentes escondidas la siguen dando borbotones preciosos en su cautiverio. Es que demasiado pronto había ya recorrido una órbita vital riquísima, conocido ya desmedidas sobreexitaciones. escalones de experiencia tan altos desde donde podía abarcar, con una sola mirada, lo que otros necesitarían años de visionario desgaste.

Dura prueba es para Miguel Hernández la separación de los suyos, tan dura como contemplar el trance de lágrimas de su pueblo. Un golpe de fatalidad derribó sus sueños de amor con Josefina. El encierro ha vuelto ingente su deseo. Ausencia es la palabra clave de los poemas graves que le van saliendo Sensación de distanciamiento con sospechas de reencuentros, de un viaje con posibilidad de retorno, de oquedad que se llenará mañana de rumores, de desierto que podría repoblarse. Ausencia, palabra clave y grave de este nuevo ciclo arrebatado. En un substancial sentimiento de ausencia lo que impulsa esta circulación penosa de su aliento, alcanzando obsedante profundidad al no poder acallar los malos presentimientos, lleno como está de suficiente nostalgia, suficiente pavor y suficiente misterio como para pulsar a fondo la tensión sobrecogedora. Lo que de distorsión y exceso podía tener *El rayo que no cesa,* en donde la pena tenía demasiada salud como para estremecernos plenamente, aquí desaparece, porque ahora es el diálogo vivo con el eco que responde. Va a tener culminación lo que de consumido lleva, pues verdaderamente se le anubla la luz del día y se enfrenta con el retorcimiento que le revela el riesgo de dar un paso más en su trecho de sombra.

Ausencia en todo veo:
tus ojos la reflejan.
. . . . . . . . . . . . . . . . . . . . . . . . . . . . . . . .
Ausencia en todo toco:
tu cuerpo se despuebla.
. . . . . . . . . . . . . . . . . . . . . . . . . . . . . . . .
Ausencia en todo siento:
Ausencia. Ausencia. Ausencia.

Le asaltan duramente las memorias de lo de ayer, esas resurrecciones tardías de cuanto en otro tiempo significó alegría, regocijo, dicha. Los años han puesto en las cosas su pálida zozobra, y la imagen de la fronda sepultada al paso de esos mismos años repercute en el ruedo íntimo con todo el peso de su ascua melancólica. El hijo ausente se interpone y adquiere cercanía en la emoción de la remembranza. Irreductiblemente permanece al cobijo del amor paterno. Pero su muerte ha dejado aridez en todo. Mas permaneciendo en su centro, en el centro de todo. El ser pequeño que "era un hoyo no muy hondo / casi en la flor de la sombra", adquiere tamaño de tibia encarnadura en la memoria. Acosado por el arrullo de la evocación, tiene presencia latente y misteriosa:

> Pero la casa no es,
> no puede ser, otra cosa
> que en ataúd con ventanas,
> con puertas hacia la aurora,
> golondrinas fuera, y dentro
> arcos que se desmoronan.

El poeta, desde el banco ermitaño en que se sienta, dialoga así con sus vivos y sus muertos, cosa terrible cuando lo hace quien se siente solo y abandonado.

Es incuestionable que se le han vuelto constantes, como lunas grandes y fijas, las ideas que tuvieron engendro en el silencio. Ahora sabe con certitud que todo cuanto acontezca tenderá a separarle de su mujer, cuya imagen le obsesiona. Esa posesión de una verdad triste y amarga aflora con limpieza incontrastable en su poesía. Destaca por eso sus aprensiones con un impulso que desnuda su largo monólogo. Formula las preguntas y él mismo las responde, y a veces deja suelta su interrogación litigante como para que no sea demasiado visible su preferencia por una contestación equivalente a sus deseos. Se ha cerciorado de que hay sombras tajantes que quieren separarlos.

> ¿Qué sigue queriendo el viento
> cada vez más enconado?
> Separarnos.

Pero como profiere su elegía desde un sitio de circulaciones penumbrosas, lo hace con sugerencias, se vale de símbolos y claroscuros. Quiere llegar a la esencia sorteando el camino recto, sin expresarlo todo al parecer, aunque para eso no se vale de rodeos verbales, sino de matices en reverso, de ligeros estremecimientos, es decir, de misterio. Y nunca, sin embargo, fué tan claro su mensaje, tan resplandeciente su verdad, tan a flor de piel su angustia. Nunca tan claro su ardimiento y su ira también.

Las machacaduras son tales, tales los movimientos náufragos que agitan los rincones, tales las casi inhumanas añoranzas vedándole el sosiego que, como un reguero de luz profiriendo un desafío, exclama de repente:

> ¿Qué hice para que pusieran
> en mi vida tanta cárcel?

¿Qué ha hecho? ¿Qué ha hecho para merecer ese anillamiento que le sofoca, partiéndole en dos? ¿Ha hecho algo más que amar, más que servir de ejemplo como un astro dorado, más que recibir en los pliegues del alma las terribles, las pavorosas quemazones?

Ah, ésta es su gran tentativa por averiguar, con sentir profundo, en los enigmas que le quemaban los ojos. Mira para adentro, hacia donde se suscitan los conflictos de su ser, y esa su mirada amorosa hacia lo que tiembla en sus entrañas, modera su exaltación y le regula las pulsaciones de modo tal que pueda posarse, con presión perpleja, sobre los originales misterios a los que se enfrenta. Su jabalina se dirige al mismo origen de cuanto late y activa; se remonta al punto germinal del suspiro, del vientre de la mujer amada. Habla desde abajo, desde la tierra, desde el arrullo primigenio, desde donde asciende lo demás, todo, tanto la vida como la muerte. ¡Tamaña empresa ésa de inquirir y cantar las imágenes vivas como esperando el reflejo desde detrás de los cristales!

Todo se anima de acuerdo a la visión que de las cosas tiene. O, mejor dicho, que tienen él y ella. Josefina también ve a través de sus ojos, en unidad hermosa. Él sabe ahora que el mundo delira porque ambos lo ven con los sentidos delirantes. "El mundo de los demás no es el nuestro: no es el mismo", dice. Sus sentidos dan proporción y apogeo a lo que tocan.

Entretanto, en su vasto abrazo de lo profundo, sabe que todo continúa. Y busca un símbolo que resuma ese soplo de luz que prosigue sin término, asiento de la vida. Símbolo esencial y trascendente, como han sido todos los suyos. ¿Por qué no buscarlo allí donde el hombre mismo se gesta y amanece? Sea. Todo es alumbrado entonces por el cuenco genitor, por el vientre (ése es el hallazgo), procreador y fértil, por el vientre que guarda aliento de creación y encierra fuegos de aleteo, trabajo y crecimiento. Todo adquiere presencia y seguridad por su sola existencia. El vientre es el mediodía y la medianoche del mundo, el hambre y la saciedad, el término y el punto de partida. Allí espera el arrullo, la simiente de prolongación de los que acaban. Y la primigenia probabilidad de creación. Allí la continuación y la herencia. Hasta la libertad —¡hasta la libertad!— allí cobra sentido.

La libertad es algo
que sólo en tus entrañas
bate como el relámpago.

El mundo, el mundo que le rodea, el mundo español sobre todo, de suplicio y de cerilla que ya no soporta el soplo, ha sido cogido en la trampa de la ceniza, de la tiniebla pasmante y delirante. Pero él ve más allá de la noche, en una liturgia de porvenir, escuchando lo que hay de rumor benigno entre la bisagra afónica que desvencija la celda.

Menos tu vientre
todo es confuso.

Menos tu vientre
todo es futuro
fugaz, pasado
baldío, turbio.

Menos tu vientre
todo es oculto,
menos tu vientre
todo inseguro,
todo postrero,
polvo sin mundo.

Menos tu vientre
todo es oscuro,
menos tu vientre
claro y profundo.

Evidentemente, Hernández acomoda su vuelo sobre vórtices de brisa perdurable. Recibe las visitaciones de una inspiración altísima. Es su mejor época del dominio de los secretos ingentes del existir. Identifica su canto al de la procreación y el relámpago fornido, al tiempo que ingresa en su hora de arroparse ante el codazo implacable.

Al fin y al cabo no es definitiva la derrota. Podrán encerrarle y enterrarle en el báratro carcelario, podrán suprimirle para prevenirse del efecto de su poesía con remos de futuro, podrán desamparar por un tiempo al pueblo de los beneficios de la justicia, podrán poblar la tierra de tumbas y traiciones, podrán querer mudar su juventud en ancianía a fuerza de machacarle en el agujero, pero siempre estará el germen de la hermosura que todo lo vindica. Estará el vientre apresurando las semillas, estableciendo un orden de nueva esencia en cuanto existe. El vientre es el símbolo del amor y del alba.

Vientre: carne central de todo cuanto existe.
Bóveda eternamente si azul, si roja, oscura.
Noche final, en cuya profundidad se siente
la voz de las raíces, el soplo de la altura.

¡Y todo esto escrito con ecos de tropiezo en la sombra! Miguel Hernández ha cumplido veintinueve años. Impresiona su madurez, su deslumbrante sabiduría. Sahuma la celda con sueños y recuerdos. Está sereno y sabio. Y es que trasciende la desesperación de su propio estado, estado miserable y triste, excursionando en los presentimientos negros sin temor a enfrentarlos. Y, sin embargo, ¡con qué claridad escucha el ignominioso aviso de su destino! Esta su primera experiencia carcelaria le fué tan penosa y trágica, como para antojársele pregusto de muerte, atragantamiento, insinuación de quiebra. Demasiado libre siempre, demasiado joven para resignarse a la atadura, cuando tuvo que invertir la dirección de la mirada hacia la borrasca que le sacudía, tuvo la adivinación de que jamás finaría su padecimiento. La soledad, con su bufanda oscura, le pesó más de lo que esperaba. Por eso mismo él, que tanto había exaltado la vida, apuró el trago agrio de su probable muerte haciéndose sonar el pecho como algo que ya caía. Es como si, pálido y sobrecogido, mirara desde las rejas los próximos cementerios, musitando en silencio el recuerdo de su jornada concluída.

Febrilmente, en pocos meses, dejó acabado su último conmovedor mensaje. Piensa que ya no tendrá tiempo para mayores saltos.

¡Y cómo impresiona ver esta corrida! Acuciado por la urgencia, no se da tregua. Parece estar de regreso y temblando de nuevo en su sitio de procedencia.

"Vuelvo a llorar desnudo, pequeño, regresado", dice, y su desbordada premura, su asalto a los valladares finales, como quien va a tomar una fortaleza desconocida, imprecisa, tiene algo de trasvasamiento dramático. Nadie le iguala en esta enloquecida disputa con las horas, a no ser ese otro contemporáneo suyo, un gran desventurado que sufría "desde abajo", que esparcía sus simientes duras con el sudario puesto y que empleaba como tinta el sudor de la agonía: el peruano Vallejo. Algo de común tienen los "Poemas humanos" y los poemas íntimos de Miguel Hernández, un anillo semejante y sombrío los enlaza. Ambos saben que la jornada está acabando, que pueden formular las últimas preguntas. Ambas obras tienen el color nocturno de lo que fué pensado a medianoche. En el peruano el tono de estrangulación es más audible o, si puede decirse, la prisa más precipitada; en el español, la juventud es más joven, por lo tanto, más dilatada la fe; en ambos el eco de lo que va a llegar es ya un instrumento terrible y vivo.

Estaban presididos por el "sino sangriento" que los tenía vigilados, como una sombra enguizcada sobre sus cabezas. En el primero todo tiene ya un tinte de monólogo recoleto, doliente; en el segundo, los clamores le impulsan a una ascensión trémula todavía, toda su concentración aspira a una plenitud de mensaje matutino, vencedor. En éste como en aquél, lo accesorio desaparece, las esencias se desnudan y dejan lugar al primigenio temblor de la especie en su hora de agobio y patetismo.

## JOSEFINA

*Pasó el amor, la luna, entre nosotros*
*y devoró los cuerpos solitarios.*
*Y somos dos fantasmas que se buscan*
*y se encuentran lejanos.*

Está otra vez en su tierra, definitivamente como antaño, sólo que ahora con la raíz hundida en las tinieblas. Ha conseguido, por fin, aproximarse a los suyos y, con una faja de silencio letal sobre el pecho, su corazón sobresale de las penumbras.

Su salud ha sufrido la quebradura que empina el cuerpo hacia el tapial último y peligroso. Una violenta bronquitis instala en sus adentros los signos amenazantes, dejándole marcado con la fiebre sin pausa que le desgaja bajo la piel el pulso que le sostenía. Estará pendiente ahora de la fortaleza que le dé el ánimo de vivir, postergando su disolución todavía por obra de las diarias peticiones que formula a su entusiasmo inagotable.

Ocupan su vida los menudos consuelos que le traen su mujer y su hijo, a quien levanta en brazos con un grito de exultación vigorosa. Entrañable alegría la de estar cerca de quienes ama, colmando su sangre con un soplo de esperanza. Pero, ¡cuán oscuras las horas, qué lento su transcurrir, con qué insoportables pausas dividen el tiempo de los encuentros y las despedidas!

Allí está, delgada y taciturna, como quien sólo espera la clausura, con el hijo en los brazos, una mirada penosa y una voz disgregada, Josefina Manresa, con el inacabable anhelo, en su impotencia, de prodigarse toda al desdichado. También lleva ella en los ojos la huella de los años penosos, de ese haber estado en vilo, pendiente siempre de las alternativas del destino, y a fuer de concentrar su pasión en el instante crepuscular de la caída. Ejemplar conducta que no sufrió desmayos en los recodos tristes. Si algo llenó los últimos días del poeta, dándole apoyatura, sostén tierno, fué ese fragor de máxima constancia con que rodeó ella la soledad de su presidio.

El vínculo entrañable relucía entre ambos.

Miguel Hernández, en una de sus cartas, al enviarle saludos, la llamaba "hija". "Hija", escribió, como otra vez "madre", denominaciones que eligió para nombrar a la mujer que tembló en lo más vivo de su sangre. Cuando se ha sufrido, en efecto, y compartido miserias y grandezas, inmarcesible el brillo del corazón, se pasa a ser algo más de lo que se creyó ser, al principio, para el otro pecho que cobijó la risa y el sollozo compartidos, pecho que es al mismo tiempo la débil rama que se protege y el ramaje robusto que nos guarda en orfandad y en alegría. Josefina fué eso para su alma, amor único, apoyo y endeble sombra protegida también. Este amor tenía incendio y ella atravesó su claror llena de plenitud, como él rebosante de quemaduras. Compartió a su lado las dichas y las amarguras, cantó el himno feliz y acibaró su lengua con lágrimas terribles; alentó su combate y le sostuvo en la caída; le vió crecer en apogeo fecundo como un hijo más de su ternura, y le cupo extenderle la mortaja. Esta unión había de galvanizarse en el troquel oscuro de acaeceres dramáticos. Se conocieron en las peligrosas vísperas de la guerra; sellóse el matrimonio en pleno fragor y nunca, nunca, en el lecho nupcial dejaron de escucharse palabras de despedidas, promesas de regreso; días expectantes después, de derrota y gemido, cercenaban el idilio; a seguir los peligros y las prisiones marginando el camino; en fin, una historia donde el amor ponía su sello de fuego, de peripecia y de triunfo.

Tantos eventos no lograron sino fusionar las dos llamas, tornándolas una hoguera ejemplar de plenitud heroica. Los hijos que tuvieron son frutos de azarosos encuentros fugitivos, encuentros en los que al cambiarse la sangre se echaron en un surco, nimbado de zozobra, las fértiles semillas que unificaban dos almas, llevando en medio una cicuta de ansiedad y de tristeza.

Acostumbrado a saturarse las manos cavando en tierra fértil, absorbiendo el jugo vital del sol al que enfrentó siempre enérgico y fuerte, a Miguel le tiene que resultar difícil el impulso en el laberinto, por más suficientes que parezcan sus caudales de resistencia. Lo que más le duele es arrastrar consigo al ser querido, cuya suave figura vive de su vigoroso alimento. Sus pensamientos vuelan hacia ella y una sombra de piedad cruza, dolorosamente, por su rostro cansado.

Alguna vez presintió Miguel Hernández que sería irreconciliable su espíritu de evasión de las cosas con el de "buen senso" de la muchacha, y no le pareció correcto sacrificarla en el ara de una vida cogida por inciertas voliciones, cual era la suya. "No es que me haya engañado contigo, Josefina; la que tal vez se haya engañado eres tú; esto te lo digo no como reproche a ti, sino a mí mismo; me parece que no soy el hombre que tú necesitas. Yo soy un hombre que se olvida a veces de muchas cosas; tú no te olvidas de nada nunca", le escribió años antes, en un momento en que bajó, como se ve, de los peldaños del ensueño. "...que se olvida a veces de muchas cosas", es decir, que se olvida de saber vivir, como el hombre medio que lo hace a rastras, agotando primero la exaltación —sagrada levadura del corazón— y dominando, después, toda fuerza íntima que importe riesgos o amenace un vuelo que le arranque de su sosiego. Lo suyo era expansión y magia pura. Su elemento el esencial impulso.

Ahora que está inmerso en los meandros tristes, quiere infundirle algo de su energía y de su fe. En primer lugar se dedica a esos diminutos quehaceres de los presidiarios para ganar algún dinero, y mitigar así el hambre de los suyos. Él, cuya hambre era enorme y extravasada, anhelante de consumir todo cuanto a su alrededor latía, hambre acaparadora, espiritual, profunda, de más allá de las cosas, tenía que encararse ahora con la real, con la que llega diariamente con empellones negros, hambre que no admite dilaciones y cuya apetencia es alicate torturador para quien nunca supo preocuparse más que con el otro, con el apetito insaciable y esencial que le ruge en el alma. ¡Pobre poeta! ¡Ganarse la vida desde la cárcel cuando prefería morir ayer de inanición afuera!

Y el milagro es que en ese trance, Josefina, modesta y recatada, sin más embozo para la defensa que su firmeza, se levanta también en un esfuerzo grande y heroico. Dedica a su esposo todas las horas de su vida. Se traslada a Benalúa para tornar más eficaz su diligencia. La necesidad cerca sus días y sus noches. Procura ocultar al preso, que todo lo adivina, la extensión de su miseria. El niño apenas tiene con qué alimentarse. Mas ella ha de ir con él hasta cualquier límite; su entereza será sin retaceos. Este pacto de fraternidad entre dos seres que se aman es un orgulloso signo de cuanto pueden el corazón y la voluntad cuando no desfallecen en un tiempo de prueba y de tremendas quemaduras. Ambos sufren esta separación hasta lo indecible. Todavía les espera una pesada humillación que les imponen los verdugos: si quieren volver a verse, tendrán que contraer un nuevo matrimonio, por la iglesia. El 4 de marzo de 1942 —¡26 días antes de que la muerte llegue!— se celebra el rito sublime de un hombre íntegro, partido en dos por tantas desventuras, y la de esta valerosa muchacha cuyo pecho estalla en una pasión ardiente e indeclinable. Nada podrá en adelante destruirlos. Él conoce la enorme energía que duerme en esa criatura débil a quien apenas puede ver por el locutorio; ella, la fibra de granito inconmovible que él guarda en su pecho, a pesar del tormento y el vilipendio. Pleno momento ése en que ambos protocolizan una unión que hace tanto consolidó la vida. ¡Cómo deben haber sonreído, con qué amarga mueca, ante la mezquindad de esa exigencia mundana, él, que llegó a la más honda fuente del amor humano, ella, que bebía el mismo cáliz que su varón querido! Josefina volvió a darle otra vez la mano cuando ya Miguel tocaba con la otra el linde de la "otra ribera". No sé si se concertó alguna vez alianza más profunda.

En este intervalo de espera entre la vida y la muerte, el amor cobraba proporciones y esencias perdurables. La separación misma parecía anillar inseparablemente estos dos fuegos.

El ímpetu continuamente cercenado, la perpetua interrupción del vigor de sus encuentros, la asediante continuidad de esa costumbre de llegar a un punto de dicha para perderlo en el minuto siguiente, le había hecho cantar:

> Perseguidos, hundidos
> por un gran desamparo
> de recuerdos y lunas,
> de noviembres y marzos,
> aventados se vieron:
> pero siempre abrazados.

Las distancias no han amenguado la magia, no

han puesto su ceniza de resignación ante lo inevitable, sino exactamente lo contrario, han contribuído a que el fervor no tenga limitaciones, a que el ansia de fusión los atraviese como una respiración intensa y a que el sentimiento se acendre por obra del increíble anhelo de acercamiento. Aunque la presencia física desaparezca, no por eso el contacto ha de ser menos tembloroso y torrencial. El apego es esencial en desafío a la abrupción y al pánico de las circunstancias. No se percibe un sólo instante la sensación de derrota. Desde su prisión le dice: "Estas ausencias y separaciones nos unen más". Como se ve, han ingresado en la seguridad por encima de cualquier desventura.

También otro íntegro, de fibra venidera y que nos legó también junto a su ejemplo un eco de porvenir, el checo Fucik, envuelto en signos transparentes, cuando se encaró, como Miguel Hernández, con las luces entornadas de los minutos postreros, agonizando en una sucia mazmorra de la Gestapo, escribió estas palabras sobrias, llenas de totalidad, pensando en su muchacha: "La lucha, las continuas separaciones, han hecho de nosotros eternos amantes..." Fúlgido y señalador sentido el del amor en estos hombres de excesiva esencia generosa, sentido que se inmiscuye al centro mismo de la vida y que se exubera en un apogeo de rectitud y fidelidad, en saturación de ternura refrescante. Es el optimismo de una salud a toda prueba, la señal de que algo nuevo y fresco en ellos tiene crecimiento. Las distancias no separan, enriquecen, maceran los sentimientos y los tornan indelebles. ¡Qué lejos estamos de esa voluptuosidad plañidera, de esa unión que se empequeñece cuando los temporales soplan y se quiebra en el naufragio! Aquí, en cambio, se marcha a pecho abierto, con un rugido que no quiere tropezar, prenda de varón, girasol escoltando el fuego vivo de la sangre. Fucik ama a su Gusta, así sean adversas las fuerzas que se precipitan sobre sus cabezas; Hernández a su Josefina, sea como sea el viento negro que pelea por separarlos. Ambos comprimen el corazón para que no estalle.

La celda de Alicante se llena de presagios. Entretanto, la fraternidad se hace sentir también allí, desnudadora de la incorruptibilidad de los hombres que no capitulan ante la trituración de los días aciagos.

Se ha ganado Miguel la estima de todos los compañeros de presidio. Y éstos, que de algo suyo se impregnan también, le ceden su derecho a la correspondencia. Así escribe más cartas de lo permitido; su cuota es mayor mediante la renuncia de alguien que le conoce la quemadura.

"En cuanto salga de aquí, la mejoría será como un relámpago", transmite a Josefina. Está soñando otra vez —incurable costumbre— con la libertad. Lastima esa fabulación en un porvenir que sabe que no existe, ese requerimiento a lo quimérico que rechina siempre en las entrañas del que sufre demasiado, ese escamotearse a la realidad para llenarse de espumas en éxtasis de imaginada magnificencia. La anonadación le arroja a los tumultos ideales; la ficción practica en él una estrepitosa metamorfosis y asciende a las zonas de la apariencia donde se concentra una acción tan real como la realidad.

Josefina sabe cuál es el tamaño del "horror de sus trabajos", como diría Quevedo, de lo que la cárcel va a depararle en procesión macabra, y se aposta en frente, a pesar de todo, para adelantarse al primer signo de llamada de su infortunado poeta. ¡Y cuánto de horror hay, en verdad, en esos trozos de papel que le llegan de adentro, en los que se lee, por ejemplo: "Al que le da por reírse le queda cuajada la risa en la boca y al que le da por llorar le queda el llanto hecho hielo en los ojos", tal es la temperatura que lo paraliza. Ella no cede en su propósito de calmarle la sed, de custodiarle la vigilia, de poner una venda en sus heridas. También ella se precipita en el abismo doloroso, sin fondo, de esa noche interminable. "Hace varias noches que han dado las ratas en pasear por mi cuerpo mientras duermo. La otra noche me desperté y tenía una al lado de la boca. Esta mañana he sacado otra de una manga del jersey, y todos los días me quito boñigas suyas de la cabeza. Viéndome la cabeza cagada por las ratas me digo: ¡Qué poco vale uno ya! ¡Hasta las ratas se suben a ensuciar la azotea de los pensamientos! Esto es lo que hay de nuevo en mi vida: ratas", le escribía el 5 de febrero de 1940. Aquellas líneas le temblaban en la mano como una brasa encendida.

Josefina recibe esos pequeños trozos de papel en donde Miguel garabatea, casi sin pulso, detenido el respiro, sus débiles mensajes. Las fiebres lo derriban. La tuberculosis le solivianta y tiene espasmos que le atan al lecho y le desmantelan las últimas energías. La cabeza sigue con impiadosos dolores. Se duplica entonces, se centuplica su anhelo de compañía. Josefina y su hijo le traen el consuelo de una mirada a distancia, en el locutorio, bajo la vigilante presencia de los guardianes. A veces no puede salir siquiera, pues sufre vértigos que lo postran; no tiene ya reposo, le cansa conversar, y la pequeña felicidad de los encuentros se espacía, porque está hecho un pingajo espectral raptado por la inanición completa. Entre tanto padecimiento, de repente exclama: "Bueno, nena, me siento mejor". ¿Qué es todavía ese grito confiante en la penumbra? ¿Verdaderamente cree en su salvación, o es que está en esa mejoría postrera, como se dice, y en donde el rubor de la mejilla no esconde sino la palidez final como una suerte de concesión piadosa que le otorga la muerte? Ya había expresado desde Ocaña su vehemente deseo: "Me paso las horas pensando en ese hijo y en ese porvenir que hemos de traerle, tú con tus cuidados y yo con mi esfuerzo". ¡Yo con mi esfuerzo! Realmente, la cárcel no acabó nunca de quebrar la explosión juvenil de su garganta. A su sufrimiento se opone su optimismo, y aun cuando se siente caer, un ímpetu diurno lo mantiene como un sacudimiento victorioso.

Josefina no desmaya ante nada, ni ante lo más desgarrador y deprimente. Y cuando su última carta le sofoca el aliento, tropieza todavía con un "Te quiero, Josefina", compensador de sus desdichas todas.

Comenzaba el derrumbe.

## PRECIPITADO EN LA SOMBRA

*Te has negado a cerrar los ojos, muerto mío.*

¡Cuáles no serían las sensaciones que le asaltaron aquel día del 28 de junio de 1941, día en que lo cruzan por las calles estrechas rumbo al Reformatorio de Adultos de Alicante —¡Reformatorio de Adultos!—; por las mismas en que ayer no más —oh, irónico desdoblamiento de los hechos!— se incautó de la luz, tan ajeno entonces a la danza que le sacude ahora, como tan ajeno ahora a la amaneciente inexperiencia de entonces! Las precipitaciones del destino le han enriquecido, y toda suerte de encrucijadas por las que atravesó ahondaron lo que era ayer apenas tímida crisálida; sus ojos miran, alimentados por una llama más ignota, por entre los entresijos de las cosas, ésas que más que verse se pulsan; ha conseguido respuesta para las inquietas preguntas de antaño; ya no es Miguel-niño, sino Miguel-padre, más acendrado y con el temple listo para sobrellevar las vicisitudes que le acechan. Regresa al punto de partida, sin que haya naufragado su fe, su fe en la justicia única, igualadora y sabia. Vuelve a la proximidad del hogar que no le había deparado calma ni reposo; vuelve con el alma insomne, como de retorno de un largo viaje, a apoderarse de las últimas explicaciones de su sino; vuelve, sobre todo, para extravasar su propia medida de sufrimientos.

Había partido años atrás, con unas pocas cuartillas por merecimiento, a una jornada de conquista y éxtasis, con mucha salud y enjundia de fervores, fuerte la talla campesina en desafío a todo vértigo; regresa ahora, cumplida su obra creadora —obra cruzada por el fulgor indispensable para ser eterna—, con todo lo de ayer en vibración superlativa, pero con la fuerza minada, maneado y solitario, exento de energías, sombrío y triste, con una inmensa noche sobre su alma.

Dispone su corazón para la prueba, porque la afirmación tendrá que venirle de sí mismo, impregnándose de vida a fuerza de averiguar en los meandros, siempre removidos, de su ser. De yacimientos que vaya descubriendo en su sangre extraerá sus diamantes, pues que, desheredado del mundo externo, los días solitarios no le darán sosiego ni indulgencia. Por lo demás, nuevos acontecimientos gravitarán sobre sus hombros, y el recuerdo de su persona cautiva ingresa en esa zona temblorosa de agitación que sacude los ánimos.

Instalado en el Reformatorio, pasa unos días de incomunicación completa. Se ha expandido la noticia de la llegada del poeta. Se lo ficha como a "escritor y poeta de la revolución", gran acierto que da al prontuario un color de porvenir y que servirá, en la hora aciaga que se inicia, de dique de contención a toda tolerancia con él. El odio del régimen franquista, calculador y frío, va a centrarse sobre su persona. Soñó con ese traslado, levantó polvo con la letanía de su insistencia, y todo para que la suprema vehemencia acabe con la trituración que se le presenta inverosímil. Incomunicado está; sus ansias se confunden con la nube caótica de los rincones donde se le arroja. La anulación no es, sin embargo, completa. Infinitamente entusiasta, suple la orfandad con las esperanzas que sigue sonsacándose.

La bronquitis que trajo de otras cárceles ha dejado a su organismo sin defensas. En verdad, poca cosa queda del muchacho brioso, de piel bienaventurada, de esbelta morenez triunfante. La ebriedad exultante dió paso a una ancha gravedad en su rostro. Sus pupilas, en cuyo cristal cerúleo la opacidad de la falta de sol dejó un brillo extraño, perdió su preeminencia fosfórica de tanto inexpresarse en la penumbra. La cabeza —¡la cabeza siempre!—, presiona sin tregua con sus garfios que estallan y toda suerte de dolores porfían sobre el cuerpo débil.

Sin embargo, sigue arrojando, piadosamente, a los suyos —¡él, que necesita de esa piedad más que nadie!— sus animosos, nobles alientos. Escribe mensajes de acente esperanzado. Él, que conoce el estado más miserable, habla del triunfo de la vida, los insta a no desesperarse, apacigua, consuela.

Pero también se surte a sí mismo con entusiasmos áureos. La presencia del hijo mueve de nuevo su sonrisa. Parece que va a erguirse de su propia curvatura. Traduce del inglés dos cuentos que destina a Manolín. Sigue volando con las alas quebradas. ¡Pobre Miguel, arrastrándose tan solo sobre el rescoldo de sus últimas chispas!

Reintegrado a la vida común con los demás presos, terminada la incomunicación, se gana el cariño de todos con su noble presencia. Sus pensamientos, en tanto, viven en constante extravío hacia un solo punto. Es lo que le resta y a lo que se aferra con encono. El amor, el amor de siempre dando contenido a su existencia. Nada hay fuera de eso. Es preciso no fatigarse en la afanosa búsqueda de la transparencia.

Yo no quiero más luz que tu cuerpo ante el mío,
. . . . . . . . . . . . . . . . . . . . . . . . . . . . . . . . . . . . . . . . . . . . . . . .
Yo no quiero más día que el que exhala tu pecho.
. . . . . . . . . . . . . . . . . . . . . . . . . . . . . . . . . . . . . . . . . . . . . . . .

¡Acércate, acércate, Josefina! Es ese el ruego diario, la invocación sostenida, la obsediante melopea. Tira de sí a pedazos esa súplica. Esperar es su tortura, su peán de los suplicios. Le irrita la condición humillante de esos encuentros, y monta en cólera al recordarlos. Respira bajo ese signo de impaciencia y sufrimiento. Cobra conciencia de repente de cuánto agotamiento hay en esos encuentros que no son encuentros, sino esfuerzos de náufragos que se buscan en la noche y lanza su penoso y crepuscular alarido, muestra de su impotencia y su disloque: "Te pido que no vuelvas a aparecer por estas rejas, porque cada vez que me acuerdo, y no puedo olvidarme de tu visita, me pongo de mal humor. Parecíamos dos perros, ladrándonos el uno al otro..." Está como un ciego que vacila sin saber a qué muro asirse en el balanceo.

La red enmarañada con que le han cogido no ha de soltarle más. Y como toda caída tiene su escala de ruina, viático de la mayor que llegará a su turno, una infección le deja sin voz. La afonía aguza el círculo de silencio en su garganta. La ira le asalta, porque sabe que eso aparejará consigo nuevas torturas. No podrá siquiera, en el locutorio, comunicarse con Josefina desde la distancia permitida y le enloquece el esfuerzo por hacerse escuchar. Su voz entonces se desplaza en gemidos sin poder alzarse con la urgencia que le indique la pauta de su fuerza. Éste es el azote más duro y cruel de esos días. El destino le tiene asido por la garganta. Entonces —¡otra vez!— pide a Josefina que gestione una visita "a una sola reja". No se la conceden.

Se va agotando. Trabaja sobre sus nervios la expectación con que aguarda el paso hacia afuera, clandestinamente, de sus garabatos tristes, esas esquelas en las que pone sus fragmentos de sueño y de laceración oscura. Otra prueba a que le someten sus verdugos. La fraternidad carcelaria salva en parte esa injusticia. A fines de ese mes de enero, en plena apuración del cáliz, contrae el nuevo matrimonio, esa grotesca imposición en el instante en que marcha ya sobre la alfombra gélida.

Ricardo Fuentes le dibuja. Sobre el papel queda un rostro que es máscara postrimera, donde no queda sino la injuria de un linaje desmoronado. Las líneas son apenas avales de una penumbra, de una piel pegada sobre contornos óseos, que eso es la cara del enfermo, una pálida efigie con el desgaste de los adioses de la sangre que se retira. ¡Impresionante dibujo ése del poeta acostado sobre el camastro, de espaldas, adivinándosele los pómulos como pedazos de piedra fuera del esqueleto! Y ese otro, de Ricardo Fuentes también, en que todo está fuera de su sitio (tan desmantelado está): los ojos, la nariz, la boca, alterados por los tirones del dolor, con las sienes hundidas como por martillazos bárbaros, sienes que al comprimirse levantaban las cejas y aherrojaban los ojos. Hondones de sombra por todas partes; imagen agorera de próximos estragos. Soledad, sólo soledad en esos días. Nada puede despegarle del oscuro imán en donde se quiebra su música y su alma.

Yo que creí que la luz era mia,<br>precipitado en la sombra me veo.

Miguel, el "labrador de más aire", siente ahora la declinación de la tarde. La soledad le asevera de lo mudable de cuanto contempla y el total aislamiento le destierra en un confín de preguntas enormes. Lo más impresionante es que ya no elabora su canto, como si le fuera necesario prescindir, al fin de la peregrinación, de todo cuanto no sea escuchar su propio eco en regreso y acabamiento. Sigue teniendo esa soledad la sembradura del cariño de los suyos, de Josefina y su hijo. Los de su familia no se portan con él como debieran;

su hermano no acude a verle; el padre sigue en su retablo sañudo. Su música hubiera sonado tristísima y desgarradora. Pero no escribe ya. Emplea las escasas fuerzas que le quedan en esquelas, que más parecen gotas de sangre que otra cosa.

Todavía espera la gloria de una mañana en que pueda recibir a Josefina repuesto de su mancillación visible: "...espero para entonces haber recuperado algo de mi diapasón, de mi pulso y de mi cuerpo, que se ha perdido por completo entre las sábanas". No puede ocultar la miseria de su estado. No espera nada, nada más que poblar su vacío con imposibles anhelos. "Quiero salir de aquí cuanto antes..." La idea le hierve con latidos violentos. La enfermedad le va fragmentando con su masticación diaria.

¡La enfermedad! Lo que en ese abrumado final de 1941 era un Paratifus B —primera reverencia de la fatalidad que le hacía guiños—, Paratifus que se le coló sin aviso para deteriorarle lo que aún manifestaba de bizarría, volviéndole prominente la adivinación de la decrepitud rápida, rúbrica de próximos padecimientos; lo que sólo era eso en aquel diciembre triste, vertiginosamente lo desgracia en los umbrales del nuevo año. El mes de enero llega, en efecto, poblado de congojas. La fiebre tifoidea dejó lesiones sin restañación posible. Probablemente se hubiera restablecido con una alimentación adecuada. No estaba ese milagro a su alcance. Le preocupa hondamente la penosa situación económica de su casa; sabe que Josefina y Miguelín están a merced de las privaciones. Eso le desasosiega. Se ve obligado a enviar a ambos a Cox, cuando de pronto el niño enfermo. Prosigue la conspiración del desamparo y el vía crucis ocasiona una zozobra continua. En su absoluta impotencia para aliviar la difícil situación de los suyos, su espíritu vacila y un relámpago temeroso mina su confianza, como si algo en su razón enmudeciera.

El mal, que parecía darle una pequeña tregua, estalla en febrero y le arrastra a su convulsivo centro para vencerlo. Una violenta tuberculosis se le declara. El derrumbamiento es rápido esta vez. Apenas puede tenerse en pie, "perdido por completo entre las sábanas". Desde la enfermería, adonde lo trasladan, suplica por medicamentos que son insuficientes. Le ponen una cánula interpleural, dolorosísima. Fiebre. Fiebre. Fiebre. "Por medio de un aparato punzante que me colocó (el médico) en el costado después de mirarme de nuevo con los rayos X, salió de mi pulmón izquierdo, sin exagerarte, más de un litro y medio de pus en un chorro continuo que duró más de diez minutos". Los compañeros de cárcel padecen con él los sinsabores de las madrugadas en sobresalto. Lo ven hundido y roto. Los médicos solicitan su traslado con urgencia (no hay plazo demorado que valga ya) al Sanatorio Penitenciario de Porta-Coeli. Él también sabe que es la última esperanza. Está sin atenciones, y su hambre de sobrevivencia es grande. Con el pulso desarticulado, sin fuerzas ni zumbidos, anota sus patéticos pedidos, al paso de la persecución de las horas, velozmente: "Josefina, mándame inmediatamente tres o cuatro kilos de algodón y gasa, que no podré curarme hoy si no me mandas". Es la prisa sin fin, el enfrentamiento sin desmayos. Un minuto perdido puede dar ocasión a su naturaleza para una declinación fatal. "Tengo muchas ganas de ir", "Quiero salir de aquí cuanto antes". ¡Qué terriblemente suenan esas palabras que fluyen como de entre grietas melancólicas!

Se le iban consumiendo los ojos, hundiéndose en el cuenco de las ojeras buscando la acomodación inalterada que preanuncia el desahucio. Conservaba la lucidez como para, desde su tabla rota, ser espectador de su propia agonía, la impresionante agonía de que tanto hablara en vida y que solamente ahora le revela su medula espantable. Se le torna difícil la respiración y grandes llagas se le forman de tanto estar tendido, llagas que supuran y que él soporta resignadamente. Le faltaba aire esa noche de presagios fúnebres del 27 de marzo. Miguel Hernández, agotado por los golpes sin cuento de la adversidad, ajadas las carnes, largamente emponzoñado por la soledad que le rarificaba el aire, la cabeza envuelta por un lienzo blanco que ya le diferenciaba de los vivos, se excusa ante su compañero de celda por las molestias que le causa, vuelve el rostro a la pared en actitud de quien quiere reposar un rato. Respira con dificultad y el compañero advierte eso. Y se queda velando. Sus horas estaban contadas. No duraría mucho.

La voz puede flaquearle, el fervor no. Ni el fervor ni el corazón; con ellos por escudo, calentándole la exclamación que le acudía adentro, se arrastró aún en medio de la oscuridad y el silencio, resarcido de la flaqueza física —¡oh poder de los enterados de las cosas hondas!—, levantó la mano demacrada y dibujó en los muros su tremenda y desgarradora despedida:

> Adiós hermanos, camaradas, amigos:
> ¡Despedidme del sol y de los trigos!

¡Oh, qué modo profundo de fecundar la muerte! Aherrojado por su absoluta miseria, ¡cómo podía aún poner amor en el epílogo de su hermosa existencia! ¡Cómo grabó todavía en el rincón de sombra y calamidades su apasionada fosforescencia! ¡Heroico Miguel! No podía marcharse sin calar hondo en los que quedaban.

¡Qué de presentimientos no agitaría el viento en esas noches! ¿Acaso no escribió en otros días, como una premonición de una visita que no haría nunca, tan pobre y desvalido ya, mas con el sello de un aserto que creía cumplido: "El día que sientas un gran viento sobre las casas de Cox, que se lleve las tejas. di: ahí viene Miguel. Porque llegaré corriendo y voy a revolucionar con mi llegada cielos y tierras"? ¡Qué triste todo eso!

El 28 de marzo de 1939, al fin de su ejemplar conducta, el corazón de España se enlutecía; la guerra civil llegaba a su término; en fecha idéntica, tres años después, también se enlutecía el corazón de la Poesía. Un negro crespón flotaba sobre ese 28 de marzo de 1942. Al alba, en esa hora en que siempre corresponderá recordarle, tumbado por la fiebre y el delirio, desencajado de sí mismo por la tracción del aliento que se le iba, advertido el estertor por Joaquín Ramón Rocamora, que le limpiaba el sudor agónico, pronunció Miguel Hernández sus últimas palabras: "¡Qué desgraciada eres, Josefina!"

> Yo que creí que la luz era mía,
> precipitado en la sombra me veo...

Un compañero de cárcel le dibujó de cuerpo presente.

Quedó con los ojos abiertos. Es que verdaderamente no se había preparado para morir, por más adiestramiento que adquiriera en la apelación de las penumbras. Por más que la muerte le haya ido secando, cuando se le enfrentó, ya hecho un languideciente espectro, demostró todavía el denuedo de su sed de vivir en esa desesperada petición de luz que salía de sus ojos.

No pudieron cerrárselos. Por lo visto quería contemplar también la confusión que hay en el tránsito. Sus últimas palabras fueron de piedad y de amoroso acento, sin claudicaciones ante la guadaña, puesto que seguía ocupándose del halo de su corazón. Él mismo se encargó de que sea inapagable también, como el cristal de sus ojos, el cirio de emoción que llevaba en el pecho: ¡"Qué desgraciada eres, Josefina!"

Los amigos testimoniaron que, una vez entregado el féretro a los suyos, una sombra leve, convulsa y estremecida, se arrojó sobre los despojos tristes, ebria del dolor más grande, estrechándolos en sus amorosos brazos, en una proximidad que tanto se les había negado. Era Josefina, la estoica Verónica, su querida muchacha; Josefina, que debió musitar entre sollozos, suplicando se le concediese la gracia profunda:

> ¡Que hagan un hoyo en mi pecho
> y que te entierren en él!

Ella, la criatura sufrida, fundida en un solo sentimiento, honda y maternal, que tanto alentó su cuerpo trágico y destruído, su presencia en ruinas, y que a través de las rejas sintió la acrimonia de una despedida desoladora.

Reposa Miguel Hernández en el mismo sitio de su origen: Alicante.

## INDICE

Infancia .................................... 9
Primeros tanteos .......................... 16
Primer viaje ................................ 25
Domando el pulso ......................... 30
La llama .................................... 37
Retrato ...................................... 44
Nuevamente Madrid ....................... 49
El rayo que no cesa ....................... 62
Se prepara el abono ....................... 70
El 18 de Julio .............................. 77
Amor e incendio ........................... 85
Viaje y retorno ............................. 91
La voz entre la pólvora .................. 96
Luces y sombras ........................... 107
Rapto hacia abajo ......................... 113
El hombre acecha .......................... 118
Sabor de sombra ........................... 124
Sentencia triste ............................ 131
Cancionero y romancero de ausencias ........ 140
Josefina ..................................... 151
Precipitado en la sombra .................. 158

# BIBLIOTECA CONTEMPORÁNEA

## VOLÚMENES PUBLICADOS

|  |  |
|---|---|
| Alarcón, Pedro A. de ... | *El escándalo* (núm. 24: 3ª ed.) |
| Alberti, Rafael .......... | *Cal y canto. Sobre los ángeles. Sermones y moradas* (núm. 75) |
| Alberti, Rafael .......... | *Antología poética* (núm. 92; 2ª ed.) |
| Alberti, Rafael .......... | *Marinero en tierra* (núm. 158; 2ª ed.) |
| Alberti, Rafael .......... | *Imagen primera de...* (núm. 168) |
| Alberti, Rafael .......... | *La amante* (núm. 186) |
| Alberti, Rafael .......... | *El alba del alhelí* (núm. 196) |
| Alberti, Rafael .......... | *A la pintura* (núm. 247) |
| Aleixandre, Vicente ..... | *La destrucción o el amor* (núm. 260) |
| Aleixandre, Vicente ..... | *Espadas como labios* (núm. 266) |
| Alonso, Amado .......... | *Castellano, español, idioma nacional* (núm. 101; 2ª ed.) |
| Álvarez Quintero, S. y J. | *Amores y amoríos. Los galeotes* (número 25; 3ª ed.) |
| Amorim, Enrique ......... | *El caballo y su sombra* (núm. 120; 2ª ed.) |
| Amorim, Enrique ......... | *La carreta* (núm. 237) |
| Anónimo ................ | *Versos del capitán* (núm. 250) |
| Arguedas, Alcides ........ | *Raza de bronce* (núm. 156; 2ª ed.) |
| Asturias, Miguel Ángel . | *Leyendas de Guatemala* (núm. 112) |
| Arlt, Roberto ........... | *El juguete rabioso* (núm. 31) |
| Arlt, Roberto ........... | *Los siete locos* (núm. 53) |
| Arlt, Roberto ........... | *El jorobadito* (núm. 59) |
| Arlt, Roberto ........... | *Aguafuertes porteñas* (núm. 67) |
| Azorín ................. | *La ruta de Don Quijote* (núm. 13; 5ª ed.) |
| Azorín ................. | *Clásicos y modernos* (núm. 37; 4ª ed.) |
| Azorín ................. | *Castilla* (núm. 43; 5ª ed.) |
| Azorín ................. | *Doña Inés* (núm. 52; 4ª ed.) |
| Azorín ................. | *Los pueblos* (núm. 65; 4ª ed.) |
| Azorín ................. | *Al margen de los clásicos* (núm. 93; 3ª ed.) |
| Azorín ................. | *Los valores literarios* (núm. 145; 2ª ed.) |
| Azorín ................. | *Valencia* (núm. 223) |
| Azorín ................. | *El libro de Levante* (núm. 236) |
| Azorín ................. | *Madrid* (núm. 241) |
| Barea, Arturo ........... | *Lorca, el poeta y su pueblo* (núm. 267) |
| Baroja, Pío ............. | *Zalacaín el aventurero* (núm. 41; 3ª ed.) |
| Baroja, Pío ............. | *El mundo es ansí* (núm. 63; 2ª ed.) |
| Barrios, Eduardo ......... | *El hermano asno* (núm. 187; 2ª ed.) |
| Barrios, Eduardo ......... | *El niño que enloqueció de amor* (número 207; 2ª ed.) |
| Baudelaire, Charles ..... | *Las flores del mal* (núm. 214; 2ª ed.) |
| Bergamín, José ........... | *La corteza de la letra* (núm. 109) |
| Bergson, Henri .......... | *La risa* (núm. 55; 3 ed.) |
| Bernárdez, Francisco Luis | *La ciudad sin Laura. El buque* (número 202; 2ª ed.) |
| Bernárdez, Francisco Luis | *Florilegio del Cancionero Vaticano* (núm. 233) |
| Bernárdez, Francisco Luis | *Himnos del Brevario Romano* (núm. 243) |
| Brunet, Marta ........... | *Montaña adentro* (núm. 253) |
| Buck, Pearl S. .......... | *El patriota* (núm. 22; 3ª ed.) |
| Caballero Calderón, E. ... | *Ancha es Castilla* (núm. 254) |
| Cabral, Manuel del ...... | *Antología clave* (núm. 273) |
| Campanella .............. | *La ciudad del sol* (núm. 100) |
| Capdevila, Arturo ....... | *Melpómene* (núm. 11; 4ª ed.) |
| Capdevila, Arturo ....... | *La Sulamita* (núm. 54; 3ª ed.) |
| Capdevila, Arturo ....... | *Babel y el castellano* (núm. 68; 3ª ed.) |
| Capdevila, Arturo ....... | *El libro de la noche* (núm. 182) |
| Capdevila, Arturo ....... | *Despeñaderos del habla* (núm. 239) |
| Capdevila, Arturo ....... | *El amor de Schaharazada. Zincali* (núm. 274) |

# BIBLIOTECA CONTEMPORÁNEA

## VOLÚMENES PUBLICADOS


CASONA, ALEJANDRO ....... *La molinera de Arcos. Sinfonía inacabada* (número 71; 2ª ed.)
CASONA, ALEJANDRO ....... *La sirena varada. Las tres perfectas casadas. Entremés del mancebo que casó con mujer brava* (núm. 73; 3ª ed.)
CASONA, ALEJANDRO ....... *Nuestra Natacha. Otra vez el diablo* (núm. 114; 3ª ed.)
CLAUDEL, PAUL ........... *El libro de Cristóbal Colón* (núm. 259)
CROMMELINCK, FERNAND .. *Tripas de oro* (núm. 178)
CHESTERTON, G. K. ...... *El hombre que fué jueves* (núm. 14; 4ª, ed.)
CHESTERTON, G. K. ...... *El candor del padre Brown* (núm. 38; 5ª ed.)
DELGADO, HONORIO ....... *Paracelso* (núm. 192)
DUNCAN, ISADORA ........ *Mi vida* (núm. 23; 3ª ed.)
FLAUBERT, GUSTAVE ....... *Madame Bovary* (núm. 2)
FLORES, ÁNGEL ........... *Vida de Lope de Vega* (núm. 227)
FRANK, WALDO ........... *España virgen* (núm. 188)
FRANK, WALDO ........... *Redescubrimiento de América* (núm. 204)
FREUD, SIGMUND ......... *Moisés y la religión monoteísta* (núm. 150)
GÁLVEZ, MANUEL ......... *Nacha Regules* (núm. 76)
GÁLVEZ, MANUEL ......... *Hombres en soledad* (núm. 88; 2ª ed.)
GÁLVEZ, MANUEL ......... *Los caminos de la muerte* (núm. 159; 2ª ed.)
GÁLVEZ, MANUEL ......... *Humaitá* (núm. 193)
GÁLVEZ, MANUEL ......... *Jornadas de agonía* (núm. 213)
GANIVET, ÁNGEL .......... *Cartas finlandesas* (núm. 61; 2 ed.)
GARCÍA LORCA, FEDERICO ... *Doña Rosita la soltera o El lenguaje de las flores* (núm. 113; 4ª ed.)
GARCÍA LORCA, FEDERICO ... *Mariana Pineda* (núm. 115; 3ª ed.)
GARCÍA LORCA, FEDERICO ... *Romancero gitano* (núm. 116; 7ª ed.)
GARCÍA LORCA, FEDERICO ... *Poema del cante jondo. Llanto por Ignacio Sánchez Mejías* (núm. 125; 4ª ed.)
GARCÍA LORCA, FEDERICO ... *Yerma* (núm. 131; 4ª ed.)
GARCÍA LORCA, FEDERICO ... *La zapatera prodigiosa* (núm. 133; 4ª ed.)
GARCÍA LORCA, FEDERICO ... *Bodas de sangre* (núm. 141; 3ª ed.)
GARCÍA LORCA, FEDERICO ... *Libro de poemas* (núm. 149; 3ª ed.)
GARCÍA LORCA, FEDERICO ... *Primeras canciones. Canciones. Seis poemas galegos* (núm. 151; 3ª ed.)
GARCÍA LORCA, FEDERICO ... *La casa de Bernarda Alba* (núm. 153; 4ª ed.)
GARCÍA LORCA, FEDERICO ... *Cinco farsas breves* (núm. 251)
GARCÍA LORCA, FEDERICO ... *Antología poética*, 1918-1936 (núm. 269)
GERCHUNOFF, ALBERTO .... *La jofaina maravillosa (Agenda cervantina)* (núm. 32; 3ª ed.)
GIUSTI, ROBERTO F. ...... *Poetas de América* (núm. 262)
GÓMEZ DE LA SERNA, RAMÓN *El Greco* (núm. 69)
GÓMEZ DE LA SERNA, RAMÓN *El doctor inverosímil* (núm. 83; 2ª ed.)
GÓMEZ DE LA SERNA, RAMÓN *Azorín* (núm. 95; 3ª ed.)
GÓMEZ DE LA SERNA, RAMÓN *La quinta de Palmyra* (núm. 128)
GÓMEZ DE LA SERNA, RAMÓN *Seis falsas novelas* (núm. 154; 2ª ed.)
GÓMEZ DE LA SERNA, RAMÓN *El dueño del átomo* (núm. 161)
GÓMEZ DE LA SERNA, RAMÓN *Gollerías* (núm. 180)
GÓMEZ DE LA SERNA, RAMÓN *El incongruente* (núm. 195)
GÓMEZ DE LA SERNA, RAMÓN *Edgar Poe* (núm. 248)
GRAU, JACINTO ........... *Los tres locos del mundo. La señora guapa* (núm. 26; 2ª ed.)
GRAU, JACINTO ........... *El conde Alarcos. El caballero Varona* (núm. 58, 2ª ed.)
GRAU, JACINTO ........... *El hijo pródigo. El señor de Pigmalión* (núm. 70; 3ª ed.)
GRAU, JACINTO ........... *El burlador que no se burla. Don Juan de Carillana. El tercer demonio* (núm. 84; 2ª ed.)

# BIBLIOTECA CONTEMPORÁNEA

## VOLÚMENES PUBLICADOS

GRAU, JACINTO ............ *La casa del diablo. En Ildaria* (núm. 157)
GRAU, JACINTO ............ *Entre llamas. Conseja galante* (núm. 206)
GUILLÉN, NICOLÁS ........ *Sóngoro cosongo* (núm. 235; 2ª ed.)
GUILLÉN, NICOLÁS ........ *El son entero* (núm. 240; 2ª ed.)
GÜIRALDES, RICARDO ....... *Don Segundo Sombra* (núm. 49; 16ª ed.
GÜIRALDES, RICARDO ....... *Raucho* (núm. 72; 2ª ed.)
GÜIRALDES, RICARDO ....... *Xaimaca* (núm. 129; 2ª ed.)
GÜIRALDES, RICARDO ....... *Cuentos de muerte y de sangre* (núm. 231; 2ª ed.)
GÜIRALDES, RICARDO ....... *Rosaura* (novela corta) *y siete cuentos* (número 238)
HENRÍQUEZ UREÑA, PEDRO . *Plenitud de España* (núm. 66; 2ª ed.)
HESSENN, J. ............. *Teoría del conocimiento* (núm. 3; 4ª ed.)
HEREDIA, JOSÉ MARÍA DE .. *Los Trofeos* (núm. 122)
HUXLEY, ALDOUS ......... *Viejo muere el cisne* (núm. 108; 3ª ed.)
ICAZA, JORGE ............. *Huasipungo* (núm. 221)
INGENIEROS, JOSÉ ......... *Proposiciones relativas al porvenir de la filosofía* (núm. 189; 2ª ed.)
INGENIEROS, JOSÉ ......... *Hacia una moral sin dogmas* (núm. 201; 2ª ed.)
JESUALDO ................ *Vida de un maestro* (núm. 203; 2ª ed.)
JIMÉNEZ, JUAN RAMÓN ... *Estío* (núm. 130; 2ª ed.)
JIMÉNEZ, JUAN RAMÓN ... *Eternidades* (núm. 142; 2ª ed.)
JIMÉNEZ, JUAN RAMÓN ... *Antología poética* (núm. 144; 2ª ed.)
JIMÉNEZ, JUAN RAMÓN ... *Belleza* (núm. 147)
JIMÉNEZ, JUAN RAMÓN ... *Poesía* (núm. 174; 2ª ed.)
JIMÉNEZ, JUAN RAMÓN ... *Piedra y cielo* (núm. 209)
JIMÉNEZ, JUAN RAMÓN ... *Diario de poeta y mar* (núm. 312; 2ª ed.)
JIMÉNEZ, JUAN RAMÓN ... *Sonetos espirituales* (núm. 222)
JUNG, C. G. ............. *Lo inconsciente* (núm. 15; 2ª ed.)
KAFKA, FRANZ ........... *La metamorfosis* (núm. 118; 3ª ed.)
LANGE, NORAH ........... *Cuadernos de infancia* (núm. 123)
LENORMAND, H. R. ........ *Los fracasados. La loca del cielo. La inocente.* (núm. 33; 2ª ed.)
LENORMAND, H. R. ........ *El hombre y sus fantasmas. El devorador de sueños. El tiempo es un sueño* (núm. 77; 2ª ed.)
LEÓN, FELIPE ............ *Antología rota* (núm. 16)
LEÓN, FRAY LUIS DE ..... *Poesías completas* (núm. 245)
LEÓN, RICARDO ........... *Casta de hidalgos* (núm. 46; 3ª ed.)
LEÓN, RICARDO ........... *El amor de los amores* (núm. 50; 4ª ed.)
MACHADO, ANTONIO ....... *Juan de Mairena I* (núm. 17; 3ª ed.)
MACHADO, ANTONIO ....... *Juan de Mairena II* (núm. 18; 3ª ed.)
MACHADO, ANTONIO ....... *Poesías completas* (núm. 19; 4 ed.)
MACHADO, ANTONIO ....... *Abel Martín y prosas varias* (núm. 20; 2ª ed.)
MACHADO, ANTONIO ....... *Los complementarios y otras prosas póstumas* (núm. 47)
MAETERLINCK, MAURICE ... *La vida de las abejas* (núm. 4; 4ª ed.)
MAETERLINCK, MAURICE ... *El pájaro azul. Interior* (núm. 29; 3ª ed.)
MALLEA, EDUARDO ......... *Fiesta en noviembre* (núm. 89; 3ª ed.)
MALLEA, EDUARDO ......... *El sayal y la púrpura* (núm. 198)
MANSFIELD, KATHERINE .... *En la bahía* (núm. 111; 2ª ed.)
MAURIAC, FRANCOIS ....... *Los caminos del mar* (núm. 6; 2ª ed.)
MIRÓ, GABRIEL ........... *Del vivir. Corpus y otros cuentos* (núm. 78)
MIRÓ, GABRIEL ........... *La novela de mi amigo. Nómada* (núm. 91)
MIRÓ, GABRIEL ........... *Dentro del cercado. La palma rota. Los pies y los zapatos de Enriqueta* (núm. 106)
MIRÓ, GABRIEL ........... *Las cerezas del cementerio* (núm. 242)
MIRÓ, GABRIEL ........... *El abuelo del rey* (núm. 244)
MIRÓ, GABRIEL ........... *Libro de Sigüenza* (núm. 246; 5ª ed.)

# BIBLIOTECA CONTEMPORÁNEA

## VOLÚMENES PUBLICADOS

|  |  |
|---|---|
| MIRÓ, GABRIEL | *Niño y grande* (núm. 249) |
| MIRÓ, GABRIEL | *El humo dormido* (núm. 256) |
| MIRÓ, GABRIEL | *El ángel, el molino, el caracol del faro* (número 265) |
| MIRÓ, GABRIEL | *Nuestro padre San Daniel* (núm. 268) |
| MIRÓ, GABRIEL | *El obispo leproso* (núm. 272) |
| MISTRAL, GABRIELA | *Tala* (núm. 184; 3ª ed.) |
| MONDOLFO, RODOLFO | *Breve historia del pensamiento antiguo* (número 143) |
| MONNER SANS, JOSÉ MARÍA | *Pirandello. Su vida y su teatro* (núm. 194) |
| NERUDA, PABLO | *Veinte poemas de amor y una canción desesperada* (núm. 28; 6ª ed.) |
| NERUDA, PABLO | *Canto general* I (núm. 86) |
| NERUDA, PABLO | *Canto general* II (núm. 87) |
| NERUDA, PABLO | *El habitante y su esperanza. El hondero entusiasta. Tentativa del hombre infinito. Anillos* (núm. 271) |
| OSSORIO, ÁNGEL | *La palabra y otros tanteos literarios* (núm. 162) |
| PALACIO VALDÉS, ARMANDO | *La novela de un novelista* (núm. 45; 7ª ed.) |
| PAREJA DEZCANSECO, A. | *Las tres ratas* (núm. 181) |
| PAYRÓ, ROBERTO J. | *El mar dulce* (núm. 27; 6ª ed.) |
| PAYRÓ, ROBERTO J. | *Pago Chico y Nuevos cuentos de Pago Chico* (núm. 36; 7ª ed.) |
| PAYRÓ, ROBERTO J. | *Divertidas aventuras del nieto de Juan Moreira* (núm. 60; 4ª ed.) |
| PAYRÓ, ROBERTO J. | *El casamiento de Laucha. Chamijo. El falso inca* (núm. 74; 6ª ed.) |
| PEREDA, JOSÉ MARÍA DE | *Peñas arriba* I (núm. 34; 4ª ed.) |
| PEREDA, JOSÉ MARÍA DE | *Peñas arriba* II (núm. 35; 4ª ed.) |
| PÉREZ DE AYALA, RAMÓN | *Prometeo. Luz de domingo. La caída de los Limones* (núm. 40; 3ª ed.) |
| PÉREZ DE AYALA, RAMÓN | *Belarmino y Apolonio* (núm. 48; 3ª ed.) |
| PÉREZ DE AYALA, RAMÓN | *Luna de miel, luna de miel* (núm. 79; 3ª ed.) |
| PÉREZ DE AYALA, RAMÓN | *Los trabajos de Urbano y Simona* (núm. 80; 2ª ed.) |
| PÉREZ DE AYALA, RAMÓN | *El ombligo del mundo* (núm. 85; 2ª ed.) |
| PÉREZ GALDÓS, BENITO | *El abuelo* (núm. 1; 2ª ed.) |
| PÉREZ GALDÓS, BENITO | *Misericordia* (núm. 9; 3ª ed.) |
| PÉREZ GALDÓS, BENITO | *Trafalgar* (núm. 39; 4ª ed.) |
| PÉREZ GALDÓS, BENITO | *El amigo Manso* (núm. 42; 3ª ed.) |
| PÉREZ GALDÓS, BENITO | *Gerona* (núm. 44; 3ª ed.) |
| PÉREZ GALDÓS, BENITO | *El audaz* (núm. 32) |
| PÉREZ GALDÓS, BENITO | *Fortunata y Jacinta* I (núm. 96; 2ª ed.) |
| PÉREZ GALDÓS, BENITO | *Fortunata y Jacinta* II (núm. 97; 2ª ed.) |
| PÉREZ GALDÓS, BENITO | *Fortunata y Jacinta* III (núm. 98; 2ª ed.) |
| PÉREZ GALDÓS, BENITO | *Fortunata y Jacinta* IV (núm. 99; 2ª ed.) |
| PÉREZ GALDÓS, BENITO | *Doña Perfecta* (núm. 102; 2ª ed.) |
| PÉREZ GALDÓS, BENITO | *Tristana* (núm. 107) |
| PÉREZ GALDÓS, BENITO | *La incógnita* (núm. 132) |
| PÉREZ GALDÓS, BENITO | *Tormento* (núm. 166) |
| PÉREZ GALDÓS, BENITO | *Torquemada en la hoguera* (núm. 173) |
| PÉREZ GALDÓS, BENITO | *Torquemada en la cruz* (núm. 175) |
| PÉREZ GALDÓS, BENITO | *Torquemada en el purgatorio* (núm. 177) |
| PÉREZ GALDÓS, BENITO | *Torquemada y San Pedro* (núm. 179) |
| PÉREZ GALDÓS, BENITO | *Miau* (núm. 183) |
| PÉREZ GALDÓS, BENITO | *El caballero encantado* (núm. 185) |
| PÉREZ GALDÓS, BENITO | *Lo prohibido* I (núm. 199) |
| PÉREZ GALDÓS, BENITO | *Lo prohibido* II (núm. 200) |

# BIBLIOTECA CONTEMPORÁNEA

## VOLÚMENES PUBLICADOS

|  |  |
|---|---|
| PIRANDELLO, LUIS .......... | *Cada cual a su juego. La vida que te di* (núm. 136; 2ª ed.) |
| PRADOS, EMILIO .......... | *Antología poética* (núm. 257) |
| QUIROGA, HORACIO ........ | *Cuentos de amor, de locura y de muerte* (núm. 252) |
| QUIROGA, HORACIO ........ | *Cuentos de la selva* (núm. 255; 3ª ed.) |
| QUIROGA, HORACIO ........ | *El más allá* (núm. 258) |
| QUIROGA, HORACIO ........ | *El desierto* (núm. 261) |
| QUIROGA, HORACIO ........ | *Los desterrados* (núm. 263) |
| RILKE, RAINER MARÍA ..... | *Los cuadernos de Malte Laurids Bridgge* (núm. 104) |
| RIVERA, JOSÉ EUSTASIO ... | *La vorágine* (núm. 94; 6ª ed.) |
| ROJAS, RICARDO ........... | *Blasón de plata* (núm. 81; 3ª ed.) |
| ROLLAND, ROMAIN ......... | *Vida de Beethoven* (núm. 155; 3ª ed.) |
| ROMERO, FRANCISCO ....... | *Filosofía de la persona* (núm. 124; 2ª ed.) |
| ROMERO, FRANCISCO ....... | *Filósofos y problemas* (núm. 197; 2ª ed.) |
| ROMERO, FRANCISCO ....... | *Ideas y figuras* (núm. 224; 2ª ed.) |
| ROMERO, JOSÉ LUIS ....... | *El ciclo de la revolución contemporánea* (número 264) |
| SALAS VIU, VICENTE ...... | *Momentos decisivos en la música* (núm. 270) |
| SALINAS, PEDRO ........... | *La voz a ti debida* (núm. 226; 2ª ed.) |
| SALINAS, PEDRO ........... | *Razón de amor* (núm. 232; 2ª ed.) |
| SÁNCHEZ ALBORNOZ, CLAUDIO | *Españoles ante la historia* (núm. 121) |
| SILVA VALDÉS, FERNÁN ..... | *Santos Vega. Barrio Palermo. Por la gracia de Dios* (núm. 105) |
| SILVA VALDÉS, FERNÁN .... | *Antología poética* (núm. 119) |
| STORNI, ALFONSINA ........ | *Antología poética* (núm. 103) |
| TAGORE, RABINDRANATH .... | *El cartero del rey. La luna nueva* (núm. 5; 4ª ed.) |
| TAGORE, RABINDRANATH .... | *El rey del salón oscuro* (núm. 7; 2ª ed.) |
| TAGORE, RABINDRANATH .... | *El jardinero* (núm. 110; 4ª ed.) |
| TAGORE, RABINDRANATH .... | *El rey y la reina. Malini. El asceta* (núm. 117; 2ª ed.) |
| TAGORE, RABINDRANATH .... | *Mashi y otros cuentos* (núm. 134; 2ª ed.) |
| TAGORE, RABINDRANATH .... | *La cosecha* (núm. 148; 2ª ed.) |
| TAGORE, RABINDRANATH .... | *Ciclo de la primavera* (núm. 205; 2ª ed.) |
| TAGORE, RABINDRANATH .... | *Chitra. Pájaros perdidos* (núm. 211) |
| TAGORE, RABINDRANATH .... | *Morada de paz* (núm. 215) |
| TAGORE, RABINDRANATH ..... | *La hermana mayor y otros cuentos* (núm. 218; 2ª ed.) |
| TAGORE, RABINDRANATH ..... | *Ofrenda lírica* (núm. 234) |
| TWAIN, MARK ............ | *Las aventuras de Tom Sawyer* (núm. 10; 5ª ed.) |
| TWAIN, MARK ............ | *Las aventuras de Huck* (núm. 51; 4ª ed.) |
| TORRE, GUILLERMO DE ..... | *La aventura y el orden* (núm. 208) |
| TORRE, GUILLERMO DE ..... | *Tríptico del sacrificio* (núm. 210) |
| USLAR-PIETRI, ARTURO ..... | *Las lanzas coloradas* (núm. 64; 2ª ed.) |
| VALERA, JUAN ............. | *Pepita Jiménez* (núm. 8; 6ª ed.) |
| VALLE-INCLÁN, R. DEL .... | *Águila de blasón* (núm. 62; 2ª ed.) |
| VASALLO, ÁNGEL ........... | *¿Qué es filosofía? o De una sabiduría heroica* (núm. 164; 2ª ed.) |
| VERA, FRANCISCO .......... | *Breve historia de la matemática* (núm. 172) |
| VERA, FRANCISCO .......... | *Breve historia de la geometría* (núm. 217) |
| VICTORIA, MARCOS ......... | *Ensayo preliminar sobre lo cómico* (núm. 30) |
| WASSERMANN, J. .......... | *Cristóbal Colón, el Quijote del Océano* (núm. 21; 4ª ed.) |
| WILDE, OSCAR ............. | *El retrato de Dorian Gray* (núm. 12; 4ª ed.) |
| WHITMAN, WALT .......... | *Canto a mí mismo* (núm. 228; 2ª ed.) |